PICTURE DICTIONARY

JAPANESE-ENGLISH

JAPANESE-ENGLISH PICTURE DICTIONARY

Illustrated by Kathryn Adams, Pat Gangnon, Colin Gillies, David Shaw and Yvonne Zan.
Designed by David Shaw and Associates.

Color separations by New Concept Limited.

Printed in Canada by Metropole Litho Inc.

In this dictionary, as in reference works in general, no mention is made of patents, trademark rights, or other proprietary rights which may attach to certain words or entries. The absence of such mention, however, in no way implies that the words or entries in question are exempt from such rights.

English language editors: P. O'Brien-Hitching, R. LeBel, P. Rényi, K. C. Sheppard.

Japanese translations in Hiragana, Kanji and Romaji by Dr. Kazuko Nakajima, Toronto.

Originally published by Éditions Rényi Inc., Toronto, Canada

Distributed exclusively in trade and education in the United States of America by Langenscheidt Publishers, Inc., Maspeth, New York 11378

	Hardcover	ISBN 0-88729-855-9
	Softcover	ISBN 0-88729-861-3

Distributed outside the USA by Éditions Rényi Inc., Toronto, Canada

	Hardcover	ISBN 0-921606-17-6
	Softcover	ISBN 0-921606-49-4

INTRODUCTION

Some of Canada's best illustrators have contributed to this Picture Dictionary, which has been carefully designed to combine words and pictures into a pleasurable learning experience.

Its unusually large number of terms (3336) makes this Picture Dictionary a flexible teaching tool. It is excellent for helping young children acquire language and dictionary skills. Because the vocabulary it encompasses is so broad, this dictionary can also be used to teach new words to older children and adults as well. Further, it is also an effective tool for teaching English as a second language.

THE VOCABULARY

The decision on which words to include and which to leave out was made in relation to three standards. First, a word-frequency analysis was carried out to include the most common words. Then a thematic clustering analysis was done to make sure that words in common themes (animals, plants, activities etc.) were included. Finally, the vocabulary was expanded to include words which children would likely hear, ask about and use. This makes this dictionary's vocabulary more honest than most. 'To choke', 'greedy', 'to smoke' are included, but approval is withheld.

This process was further complicated by the decision to *systematically* illustrate the meanings. Although the degree of abstraction was kept reasonably low, it was considered necessary to include terms such as 'to expect' and 'to forgive', which are virtually impossible to illustrate. Instead of dropping these terms, we decided to provide explanatory sentences that create a context.

Where variations occur between British and North American English, both terms are given, with an asterisk marking the British version (favor/favour*, gas/petrol*).

USING THIS DICTIONARY

Used at home, this dictionary is an enjoyable book for children to explore alone or with their parents. The pictures excite the imagination of younger children and entice them to ask questions. Older children in televisual cultures often look to visual imagery as an aid to meaning. The pictures help them make the transition from the graphic to the written. Even young adults will find the book useful, because the illustrations, while amusing, are not childish.

The dictionary as a whole provides an occasion to introduce students to basic dictionary skills. This work is compatible with school reading materials in current use, and can serve as a 'user-friendly' reference tool.

Great care has been taken to ensure that any contextual statements made are factual, have some educational value and are compatible with statements made elsewhere in the book. Lastly, from a strictly pedagogical viewpoint, the little girl featured in the book has not been made into a paragon of virtue; young users will readily identify with her imperfections.

TO MY NEW FRIENDS

My name is Ashley. I am a little girl. I go to school. I am learning to swim, and I have a little brother. If you want to meet my father, the admiral, look at the page on the right. You will see him at the bottom of the page. My mother is on the next page, at the top. If you want to see me, look at my picture above the word 'calm'.

Some people think dictionaries are dull. I guess they have not seen this one, which is all about me and the people I know, and about many, many ideas.

Five grown-up artists had a lot of fun drawing the pictures. I also drew a picture (the zebra). Can you find it?

I must go now. Look for me in the dictionary.

Ashley

P.S. If you want to write to me about our dictionary, ask your parents or your teacher to give you my address.

	そろばん	そのことについて はなしてください。 いちじかん ぐらい かかります。 *Tell me about it.* *It takes about an hour.*	あたまのうえ
	1 abacus	**2** about	**3** above
けっせき **4** absent	アクセル **5** accelerator	はじめのおんせつに アクセントを つけてください。 *Put the accent on the first syllable.* **6** accent	じこ **7** accident
アコーディオン **8** accordion	せめる **9** to accuse	エース **10** ace	あたまがいたい。 **11** My head aches.
さん **12** acid	どんぐり **13** acorn	アクロバット **14** acrobat	みちのむこうにすんでいます。 はらっぱをよこぎります。 *He lives across the street.* *She ran across the fields.* **15** across
たす **16** to add	じゅうしょ **17** address	かいぐんたいしょう **18** admiral	ドンはリサがだいすき。 **19** to adore

せいじん、おとな	まえにすすむ	せが たかいほうが <u>ゆうり</u>。	ジュリーのおかあさんは ほうけんがすき。
20 adult	21 to advance	22 advantage	23 adventure
こわい	アフリカ	ばんごはんの<u>あとで</u> あそんでもいいですか。 わたしの<u>あと</u>に<u>ついて</u> いってください。 *Can we play after dinner ?* *Repeat after me !*	ごご
24 He is afraid.	25 Africa	26 after	27 afternoon
<u>また</u>あそぼうよ。 <u>また</u>きみのばんだよ。 *Let's play again.* *It is your turn again.*	こする	とし、ねんれい	どうさの <u>きびきびしたひと</u>
28 again	29 to rub against	30 age	31 agile person
あんしょうに<u>のりあげる</u>	ヘレンは トムの<u>まえの</u> ほうに すわります。 お<u>さき</u>にどうぞ。 *Helen sits ahead of Tom.* *Please go ahead.*	たすける	ねらう
32 aground	33 ahead	34 to provide aid	35 to aim
くうき、そら	エアマット	<u>みっぺいした</u> いれもの	ひこうき
36 air	37 air mattress	38 airtight	39 airplane/aeroplane*

くうこう	つうろ	めざましどけい	アルバム
40　airport	41　aisle	42　alarm clock	43　album
いえにひがつく。	いきている	ぜんぶ	<u>ろじのねこ</u>
44　alight	45　alive	46　I want them all.	47　alley
わに	アーモンド	ほとんど	なぜ<u>ひとりで</u>いるの?
48　alligator	49　almond	50　almost	51　alone
かいがん<u>にそって</u>あるく	おおきなこえで	アルファベット	<u>もういかなくちゃ ならないの?</u>
52　along	53　aloud	54　alphabet	55　Do I have to go already?
<u>だいじょうぶ</u>だよ。	わたし<u>も</u>ほしい。	<u>アルミ</u>のはしご	<u>いつも</u>ころぶ
56　I am alright.	57　I also want some.	58　aluminum/aluminium* ladder	59　I always fall down.

きゅうきゅうしゃ	ひつじのなかのおおかみ	いかり	むかしのしろのあと
60　ambulance	61　wolf **among** sheep	62　anchor	63　ancient

かくど	おこっている	どうぶつ	くるぶし、あしくび
64　angle	65　He is **angry**.	66　animals	67　ankle

アナウンスする	もうひとつ の サンドイッチ	こたえは......。	あり
68　to **announce**	69　**another** sandwich	70　The **answer** is...	71　ant

なんきょく	かもしか	しかの つの	おかねが まったくない。
72　Antarctic	73　antelope	74　antlers	75　I do not have **any** money.

なんでも たべる	どこへも いかれない。	ひとつぶ ふさから はなれる。	さる、るいじんえん
76　It eats **anything**.	77　He cannot go **anywhere**.	78　apart	79　ape

みつばちを かうところ、ようほうじょう	ちゃんと あやまりなさい。 おくれて どうもすみません。 *You should apologize.* *I apologize for being late.*	てじなこのぼうしから うさぎが あらわれました じょうおうが テレビに でました。 *A rabbit appeared from the magician's hat.* *The Queen appeared on television.*	はくしゅする
80 apiary	**81** to apologize/apologise*	**82** to appear	**83** to applaud
りんご	りんごのしん	ちかづく	あんず
84 apple	**85** apple core	**86** to approach	**87** apricot
しがつ	エプロン、まえかけ	すいぞくかん	アーチ
88 April	**89** apron	**90** aquarium	**91** arch
けんちくか	ほっきょく	ぎろんする	うで
92 architect	**93** Arctic	**94** to argue	**95** arm
ひじかけいす	よろい	わきのした	おひるごろつきます。 バスは まちを ぐるりとまわりました。 *We will be there around noon.* *The bus drove around the town.*
96 armchair	**97** armor/armour*	**98** armpit	**99** around

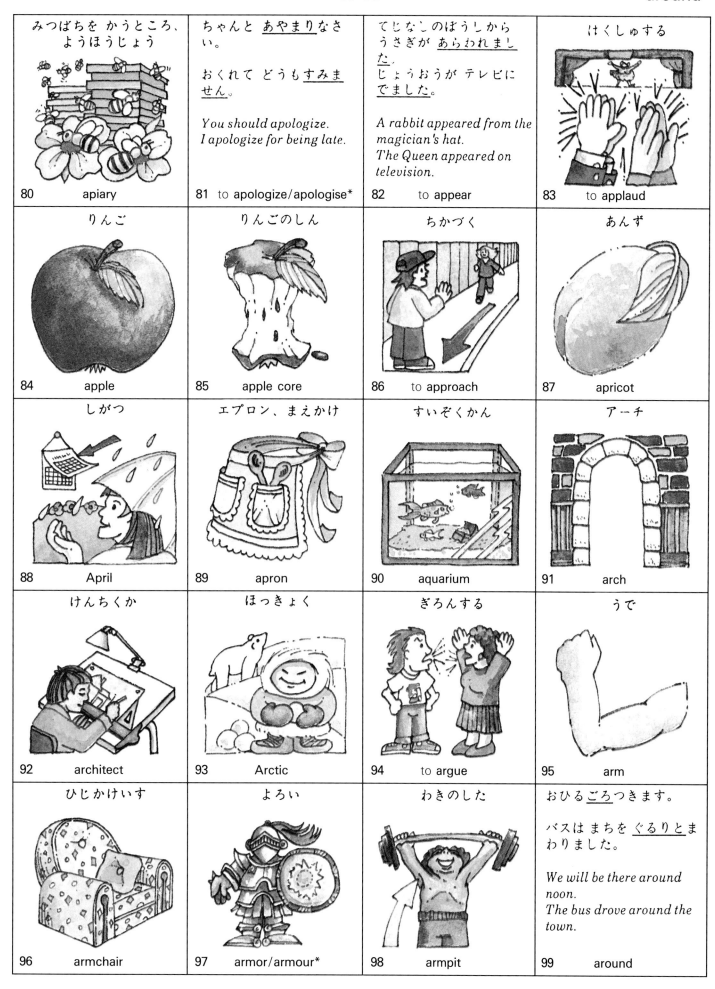

はなをいける	たいほする	つく	や
100 to **arrange** flowers	101 to **arrest**	102 to **arrive**	103 **arrow**

アーティチョーク、ちょうせんあざみ	げいじゅつか	えの<u>ように</u> うつくしい。 ただしは おにいさんと<u>お なじぐらい</u> せがたかいで す。 *As pretty as a picture Tadashi is as tall as his older brother.*	はい
104 **artichoke**	105 **artist**	106 **as**	107 **ash**

はいざら	アジア	みちを<u>きく</u>	メアリーとフラフィは よく<u>ねむっている</u>。
108 **ashtray**	109 **Asia**	110 to **ask** for directions	111 **asleep**

アスパラガス	アスピリン	パトリックはジーンを <u>おどろかした</u>。	うちゅうひこうし
112 **asparagus**	113 **aspirin**	114 to **astonish**	115 **astronaut**

てんもんがくしゃ	ヘレンは おとうさんと いえにいます。 しゃしんを みている ところです。 *Helen is at home with her dad. They are looking at the photo.*	うんどうせんしゅ	ちず、ちずちょう
116 **astronomer**	117 **at**	118 **athlete**	119 **atlas**

ちきゅうをとりまく <u>きたい</u>	げんし	つける、はめる	ちゅういしなさい。
120　atmosphere	121　atom	122　to attach	123　Pay attention!
やねうら	かんきゃく	はちがつ	おばさん
124　attic	125　audience	126　August	127 My aunt is my mother's sister.
オーストラリア	さっか	じどう	あき
128　Australia	129　author	130　automatic	131　autumn
なだれ	アボカド	めがさめている	かのじょは どこかに いっていて <u>いません</u>。
132　avalanche	133　avocado	134　awake	135　She is away.
<u>ひどい</u>におい	<u>ぶかっこう</u>なひと	おの	しゃりんの<u>じく</u>
136　an awful smell	137　an awkward person	138　axe	139　axle

	あかちゃん、あかんぼう	うばぐるま	<u>せなか</u>をかく
B	140 baby	141 baby carriage/pram*	142 back

<u>ベーコン</u>エッグ	わるい、いたんだ	バッジ	バックする
144 bacon and eggs	145 bad apple	146 badge	143 to back up

<u>ふくろ</u>のなか	えさ	やく	パンやさん
147 bag	148 bait	149 to bake	150 baker

パンや	<u>バランス</u>がいい	バルコニー	はげている
151 bakery	152 good balance	153 balcony	154 bald

ボール	バレリーナ	バレー	ふうせん
155 ball	156 ballerina	157 ballet	158 balloon

ききゅう	バナナ	ヘアーバンド	バンド
159　hot air **balloon**	160　banana	161　band	162　musical **band**

ほうたい	ばんばんたたく、どんとうつ	てすり、らんかん	ぎんこう
163　bandage	164　to bang	165　banister	166　bank

てつのぼう	バー…	てつじょうもう	りはつし　とこや
167　bar	168　bar/pub*	169　barbed wire	170　barber

はだし	やすうり、バーゲン	うんかせん	ほえる
171　one **bare** foot	172　bargain	173　barge	174　to bark

おおむぎ	なや	バラック、へいえい	きのかわ
176　barley	177　barn	178　barracks	175　bark

たる	じゅうしん	ヘヤクリップ	バリヤード、さく
179　barrel	180　barrel	181　barrette/hair slide*	182　barrier

どだい	ベース	やきゅう	ちかしつ
183　base	184　base	185　baseball	186　basement/cellar*

バゼル	バスケット、かご	バスケットボール	バット
187　basil	188　basket	189　basketball	190　bats

(お)ふろ にはいる	(お)ふろば	ゆぶね	こうもり
192　I am having a bath.	193　bathroom	194　bathtub	191　bat

バッテリー、でんち	わん、いりえ	ベイリーフ	バザー
195　battery	196　bay	197　bay leaves	198　bazaar

ぼくはカナダじんです。
トムとボブはともだちです。
アシュレイは いしゃになりたいのです。

I am a Canadian.
Tom and Bob are friends.
Ashley wants to be a doctor.

199   to be

かいがん、うみべ
200   beach

ビーズ
201   bead

くちばし
202   beak

こうせん
203   beam of light

まめ
204   beans

くま
205   bear

ひげ
206   beard

けもの
207   beast

うつ
208   to beat

うつくしい、きれい (な)
209   beautiful

ビーバー
210   beaver

ねこがしんだので…。
211   I am crying because…

けむしが
ちょうちょうになる。
212   to become

ベッド
213   bed

ベッドのランプ
214 bed lamp/reading light*

ベッドルーム、しんしつ
215   bedroom

はち
216   bee

ぶな
217   beech

みつばちのす (ばこ)
218   beehive

ビール	ビート	かぶとむし	しょくじをするまえに てをあらいなさい。
219 beer	220 beet/beetroot*	221 beetle	222 Wash your hands **before** dinner.
こじき	アシュレイのピアノの レッスンは 10じに はじ まります。 トムのピアノのレッスン は 9じに はじまります *Ashley's piano lesson begins at ten o'clock. Tom's piano lesson begins at nine o'clock.*	アリスは ぎょうぎがいい。	きのうしろ
223 to beg	224 to begin	225 to behave	226 behind
ベージュ	しんじる	ベル、かね	へそ
227 beige	228 I **believe** in dragons.	229 bell	230 belly button
わたしのもの	テーブルのした	ベルト	ベンチ
231 He **belongs** to me.	232 below	233 belt	234 bench
みちが まがっている。	まげる	ベレーぼう	きのそば
235 bend	236 to bend	237 beret	238 beside

デザートのほかに なにか たべませんか？ *Should you eat something besides dessert?* 239　besides	いちばん、さいこう 240　best	シーラはトムより よく うたえます。 やろうとおもえば トムは もっとよくできます。 *Sheila can sing better than Tom.* *Tom can do better if he tries to.* 241　better	いわといわのあいだ 242　between
よだれかけ 243　bib	じてんしゃ 244　bicycle	おおきい 245　big	じてんしゃ 246　bike
(お)さつ、しへい 247　bill/banknote*	こうこくばん 248　billboard/hoarding*	たまつき、ビリヤード 249　billiards/snooker*	しばる 250　to bind/tie up*
そうがんきょう 251　binoculars	とり 252　bird	アシュレイは うまれたとき 7ポンド でした。 ねこは こねこを 4 ひき うみました。 *Ashley weighed seven pounds at birth.* *The cat gave birth to four little kittens.* 253　birth	たんじょうび 254　birthday
ビスケット 255　biscuit	かむ 256　to bite	ひとくち 257　bite	ビールは にがいです。 それは つらいけいけんで した。 *Beer has a bitter taste.* *It was a bitter experience.* 258　bitter

くろい、くろ	ブラックベリー	ブラックバード	こくばん
259 black	260 blackberry	261 blackbird	262 blackboard

くろすぐり	かじや	かたなのは	
			おとうさんは アシュレイ の せいにしましたが、ほんとうは クリス が わるいのです。 *Dad blamed Ashley, but Dad should blame Chris.*
263 blackcurrant	264 blacksmith	265 blade	266 to blame

くうはくのページ	ブランケット、もうふ	ばくはつ	ばくはする
267 blank page	268 blanket	269 blast	270 to blast

ほのお	ブレザー	ひょうはくざい	ちが でる、しゅっけつする
271 blaze	272 blazer	273 bleach	274 to bleed

ミキサー	めのみえないひと、もうじん	まばたきする	みずぶくれ
275 blender	276 blind	277 to blink	278 blister

ふぶき	つみき	ブロック	ブロックする、さえぎる
279　blizzard	280　block	281　block	282　to block
ブロンド、きんぱつ	ち	はな	はなが<u>さく</u>
283　blond/blonde*	284　blood	285　bloom	286　to blossom
インクの<u>しみ</u>	ブラウス	あたまをうつ	ふく
287　blot	288　blouse	289　a blow to the head	290　to blow
あおい、あお	ブルーベリ…	このナイフのはは <u>にぶく</u> なったので、とがなければなりません。 *The blade of this knife has become blunt, so it has to be sharpened.*	ほほをあからめる
291　blue	292　blueberries	293　blunt	294　to blush
いのしし	いた	クリスは <u>じまんする</u>のがすきです。 *Chris likes to boast.*	ボート、ふね
295　boar	296　board	297　to boast	298　boat

ヘヤピン 299　bobby pin/hairgrip*	からだ 300　body	にる 301　to boil	ボルト 302　bolt
ほね 303　bone	たきび 304　bonfire	ほん 305　book	ほんだな 306　bookshelf
ブーメラン 307　boomerang	ブーツ、ながぐつ 308　boot	こっきょう 309　border	あなを あける 310　to bore

なんねんに うまれました か。

うまれ ながらの リーダー です。

What year were you born ?
She is a born leader.

312　born

アシュレイは よく おと うとのじてんしゃを かり ます。

Ashley often borrows her younger brother's bike.

313　to borrow

ボス

314　boss

ボブは しゃべりすぎるの で、わたしは すぐ たい くつしてしまいます。

Bob bores me because he talks too much.

311　to bore

メグも チップも ふたり とも かわいいです。
きょうも あしたも おや すみです。

Meg and Chip are both cute.
Both today and tomorrow are holidays.

315　both

びん

316　bottle

せんぬき

317　bottle opener

そこ

318　bottom

（まるい、おおきな）いし	はずむ	はなたば、ブーケ	ゆみ
319　boulder	320　to bounce	321　bouquet	322　bow
ボール	はこ	ボクサー	ちょうネクタイ
324　bowl	325　box	326　boxer	323　bow tie
おとこのこ、しょうねん	ブラジャー	ブレスレット	スーはあたらしいおもちゃの じまんをします。スーのおとうさんは スーに じまんしては いけないと いいます。 *Sue brags about her new toys.* *Her dad tells her not to brag.*
327　boy	328　bra	329　bracelet	330　to brag
のう	ブレーキ	ブレーキをかける	えだ
331　brain	332　brake	333　to brake	334　branch
はいしゃさんが、アシュレイは ゆうかんだ といいました。 *The dentist says Ashley is brave.*	パン	こわす	こわれる、こしょうする
335　brave	336　bread	337　to break	338　to break down

おしいりごうとうをする	あさごはん、ちょうしょく	いき	いきをする
339　to break in	340　breakfast	341　breath	342　to breathe

れんが	れんがしょくにん	はなよめ、およめさん	はなむこ、おむこさん
343　brick	344　bricklayer	345　bride	346　bridegroom

はし	うまのくつわ	ブリーフケース、かばん	あかるい たいよう
347　bridge	348　bridle	349　briefcase	350　bright sun

もってくる	かえしに くる	こわれやすいガラス	ブロッコリー
351　to bring	352　to bring back	353　brittle glass	354　broccoli

ブローチ	おがわ	ほうき	おとうと
355　brooch	356　brook	357　broom	358　I love my brother.

まゆげ	ちゃいろ	ブラシでとかす	ブラシ
359 brow	360 brown	362 to brush	363 brush

きず、うちみ	めキャベツ	ペンキようの<u>はけ</u>	はブラシ
361 bruise	366 brussels sprouts	364 paintbrush	365 toothbrush

あわ	バケツ	バックル	つぼみ
367 bubble	368 bucket	369 belt buckle	370 bud

バッファロー、すいぎゅう	むし	らっぱ	たてる
371 buffalo	372 bug	373 bugle	374 to build

おうし	ブルトーザー	てっぽうの<u>たま</u>	メガホン、かくせいき
375 bull	376 bulldozer	377 bullet	378 bullhorn/megaphone*

いじめっこ	こぶ	バンパー	アスパラガスひとたば
379 bully	380 bump	381 bumpers	382 bunch
たば	ブイ	どろぼう	もえる
383 bundle	384 buoy	385 burglar	386 to burn
はれつする	うめる	バス	バスてい
387 to burst	388 to bury	389 bus	390 bus stop
やぶ	いそがしい	いきたいけれども、ぼくはいそがしいです。 ボールは おおきいが、いもうとのほうがもっとおおきいです。 *I would like to go, but I am busy.* *Paul is big, but his younger sister is bigger.*	にくや
391 bush	392 I am busy now.	393 but	394 butcher
バター	ちょうちょ(う)	ボタン	かう
395 butter	396 butterfly	397 buttons	398 to buy

C	キャベツ 399 cabbage	やまごや 400 cabin	とだな、キャビネット 401 cabinet
ケーブル 402 cable/lead*	さぼてん 403 cactus	かご 404 cage	ケーキ 405 cake
けいさんき 406 calculator	カレンダー、こよみ 407 calendar	こうし 408 calf	よぶ 409 to call
おちついている 412 She is **calm**.	らくだ 413 camel	カメラ 414 camera	あめなら ピクニックは ちゅうし です。アシュレイは どうぶつえんいきを とりやめました。 *We will call off the picnic if it rains.* *Ashley has called off our trip to the zoo.* 410 to **call off**
キャンプする 415 to **camp**	キャンプじょう 416 campsite	かん、かんづめ 417 can	(でんわで)よびだす 411 to **call up**/to **phone***

かんきり

418 can opener/tin* opener

うんが

419　　canal

カナリヤ

420　　canary

ろうそく

421　　candle

ろうそくたて.
しょくだい

422　　candlestick

あめ

423　candy/sweets*

つえ

424　cane/walking stick*

たいほう

425　　cannon

みることが できない

426　I cannot see.

カヌー

427　　canoe

カンタロープ
(メロンのいっしゅ)

428　　cantaloupe

きょうこく

429　　canyon

ぼうし

430　　cap

みさき

431　　cape

ケープ

432　　cape

おおもじ

433　　capital

キャプテン、せんちょう

434　　captain

つかまえる、とる

435　to capture

くるま、じどうしゃ

436　　car

キャラバン

437　　caravan

トランプ	ボールがみ	めんどうをみる	ふちゅうい
438　cards	439　cardboard	440　to care	441　He is careless.

つみに	カーネーション	カーニバル	だいく
442　cargo	443　carnation	444　carnival	445　carpenter

カーペット、じゅうたん	うばぐるま	にんじん	はこぶ
446　carpet	447　carriage/pram*	448　carrot	449　to carry

カート、にぐるま	ボールばこ	きる	ケース、はこ、トランク
450　cart	451　carton	452　to carve	453　case

げんきん	カシューナッツ	しろ	ねこ
454　cash	455　cashew nuts	456　castle	457　cat

カタログ	つかむ、うけとめる	おいつく	けむし
458 catalog/catalogue*	459 to catch	460 to catch up with	461 caterpillar
うし、かちく	おおなべ	カリフラワー	きへいたい
462 cattle	463 cauldron	464 cauliflower	465 cavalry
ほらあな	てんじょう	いわう	セロリ
466 cave	467 ceiling	468 to celebrate	469 celery
さいぼう	ちかしつ	セメント	ちゅうしん
470 cell	471 cellar	472 cement	473 center/centre*
1メートル＝100センチ	むかで	いっせいきは ひゃくねん です。 A century has one hundred years.	シリアル
474 centimeter/centimetre*	475 centipede	476 century	477 cereal

いえをでるとき、ドアに
かぎをかけたのは たしか
です

*I am certain that I locked
the door when leaving the
house.*

478   certain

しょうめいしょ

479   certificate

チェーン、くさり

480   chain

チェーンソー

481   chainsaw

いす

482   chair

チョーク

483   chalk

チャンピオン

484   champion

こぜに

485   change

すいろ

487   channel

しょう

488   chapter

アシュレイは せいかくが
つよいです。

この じは どういういみで
すか。

*Ashley has a strong
character.
What does this (printed)
character mean?*

489   character

かえる

486   to change

すみ

490   charcoal

ふだんそう

491   chard

けいさつは スパットを
ごうとうで きそしまし
た。

でんちを じゅうでんする
のを わすれました。

*The police charged Spud
with robbery.
I forgot to charge the
battery.*

492   to charge

せんしゃ

493   chariot

ずひょう

494   chart

おいかける

495   to chase

しゃべる、
おしゃべりする

496   to chat

やすいえんぴつ

497   cheap pencil, expensive crown

カンニングする
498 to cheat

けさ おべんとうばこを しらべましたか。

いりぐちで コートを あづけてください。

Did you check your lunchbox this morning? Check your coat at the entrance, please.
499 to check

ほほ、ほお
500 cheek

チーズ
501 cheese

こぎって
502 cheque*/check

さくらんぼ
503 cherries

むね
504 chest

くり
505 chestnut

かむ
506 to chew

チックピー、 エジプトまめ
507 chick peas

にわとり、とり
508 chicken

みずぼうそう
509 chicken-pox

（けいさつ、ぐんたいの）ちょう
510 chief

こども
511 child

はださむい
512 a chilly day

えんとつ
513 chimney

チンパンジー
514 chimpanzee

あご
515 chin

せともの、とうじき
516 china/crockery*

こっぱ
517 chip

のみ	チャイブ	チョコレート	クワイヤー、せいかたい
518 chisel	519 chives	520 chocolate	521 choir

いきがつまる	のどにひっかかる	えらぶ	きざむ
522 to choke	523 to choke on	524 to choose	525 to chop

はし	クローム	きく	せきたんの<u>かたまり</u>
526 chopsticks	527 chrome	528 chrysanthemum	529 a chunk/lump* of coal

はまき	たばこ	まる、えん	サーカス
530 cigar	531 cigarette	532 circle	533 circus

とし	はまぐり	まんりき	てをたたく、はくしゅする
534 city	535 clam	536 clamp	537 to clap

きょうしつ
538   classroom

（かにの）つめ、はさみ
539   claw

ねんどは れんがをつくる
のに つかわれます。

*Clay is used to make
bricks.*

540   clay

せいけつ、きれい
541 She is all clean.

かたづける
542   to clear

がけ、ぜっぺき
543   cliff

いわをのぼる
544   to climb

しんりょうじょ、
クリニック
545   clinic

きる
546   to clip

とけい
547   clock

とじる
548   to close

クローゼット、
ようふくだんす
549   closet/cupboard*

ようふくは きれでつくり
ます。

Clothes are made of cloth.

550   cloth

ようふく、いふく
551   clothes

ものほしづな
552   clothes line

くも
553   cloud

クローバー
554   clover

どうけし
555   clown

こんぼう
556   club

けいさつは そのはんざい
の てがかりをつかみまし
た。

ヒントを あげましょう。

*The police found a clue to
the crime.
I will give you a clue.*

557   clue

クラッチ	つかむ、にぎる	コーチ	おおがたバス
558 clutch	559 to clutch	560 coach	561 coach
せきたん	このきれは ざらざらして います。 あらっぽいことばを つかってはいけません。 *This cloth is coarse. Do not use coarse language.*	かいがん	プリシラは しゅう にかい チームのコーチをしています。 *Priscilla coaches the team twice a week.*
563 coal	564 coarse	565 coast	562 to coach
あたたかいコート	くものす	ココア	ココナッツ、やしのみ
566 coat	567 cobweb	568 cocoa	569 coconut
たら	コーヒー	ひつぎ、(お)かん、かんおけ	コイル
570 cod	571 coffee	572 coffin	573 coil
こうか、コイン	さむい	えり	あつめる
574 coin	575 I am cold.	576 collar	577 to collect

カレッジ	しょうとつする、ぶつかる	しょうとつ	いろ
578 college	579 to collide	580 collision	581 color/colours*
こうま(おす)	えんちゅう	くし	かみをとかす
582 colt	583 column	584 comb	585 to comb
あわせる	アシュレイはバスでパーテイーにきました。 ここによくきますか。 *Ashley came to the party by bus.* *Do you come here often?*	とれる	いしきがもどる
586 combine	587 to come	588 to come off	589 to come to
らく(な)、かいてき(な)	コンマ	めいれいする	わたしたちはちいさいコミニティーにすんでいます。 コミニティーセンターにプールがあります。 *We live in a small community.* *There is a pool at the community center.*
590 comfortable	591 comma	592 to command	593 community
なかま	なかまといっしょ	くらべる	コンパス、じしゃく
594 companion	595 I am in good company.	596 to compare	597 My compass points north.

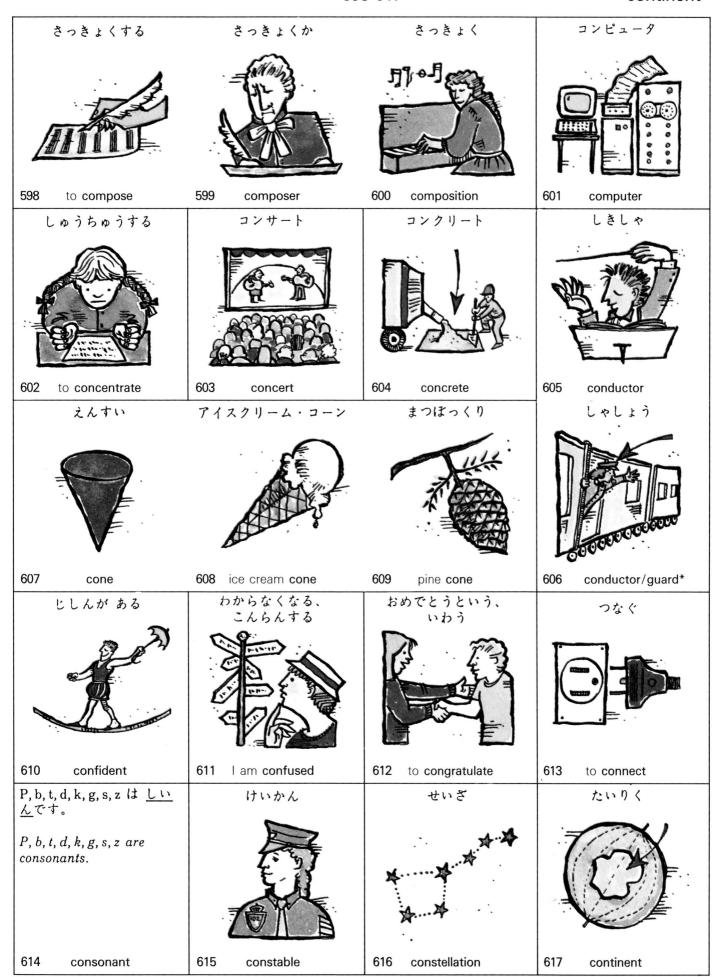

さっきょくする	さっきょくか	さっきょく	コンピュータ
598 to compose	599 composer	600 composition	601 computer

しゅうちゅうする	コンサート	コンクリート	しきしゃ
602 to concentrate	603 concert	604 concrete	605 conductor

えんすい	アイスクリーム・コーン	まつぼっくり	しゃしょう
607 cone	608 ice cream cone	609 pine cone	606 conductor/guard*

じしんが ある	わからなくなる、こんらんする	おめでとうという、いわう	つなぐ
610 confident	611 I am confused	612 to congratulate	613 to connect

P, b, t, d, k, g, s, z は しいん です。

P, b, t, d, k, g, s, z are consonants.

けいかん	せいざ	たいりく
615 constable	616 constellation	617 continent

614   consonant

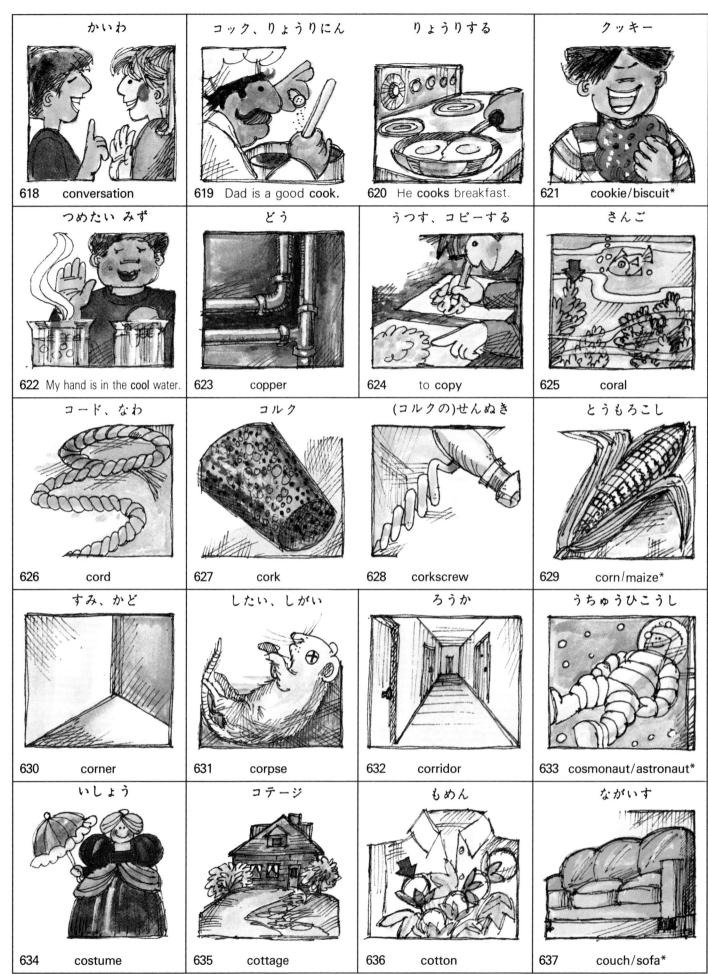

かいわ	コック、りょうりにん	りょうりする	クッキー
618 conversation	619 Dad is a good **cook**.	620 He **cooks** breakfast.	621 cookie/biscuit*

つめたい みず	どう	うつす、コピーする	さんご
622 My hand is in the **cool** water.	623 copper	624 to copy	625 coral

コード、なわ	コルク	(コルクの)せんぬき	とうもろこし
626 cord	627 cork	628 corkscrew	629 corn/maize*

すみ、かど	したい、しがい	ろうか	うちゅうひこうし
630 corner	631 corpse	632 corridor	633 cosmonaut/astronaut*

いしょう	コテージ	もめん	ながいす
634 costume	635 cottage	636 cotton	637 couch/sofa*

せきをする	かぞえる	カウンター、けいすうき	カウンター
638　to cough	639　to count	640　counter	641　counter
いなか	くに	カップル、ふうふ	ゆうき
642　country	643　country	644　couple	645　courage
テニスコート	いとこ	カバーする	ふた
646　court	647　My cousin is my uncle's daughter.	648　to cover	649　cover
めうし	おくびょうもの	カーボーイ	かに
650　cow	651　This boy is a coward.	652　cowboy	653　crab
ひび	クラッカー	ゆりかご	つる
654　crack	655　cracker	656　cradle	657　crane

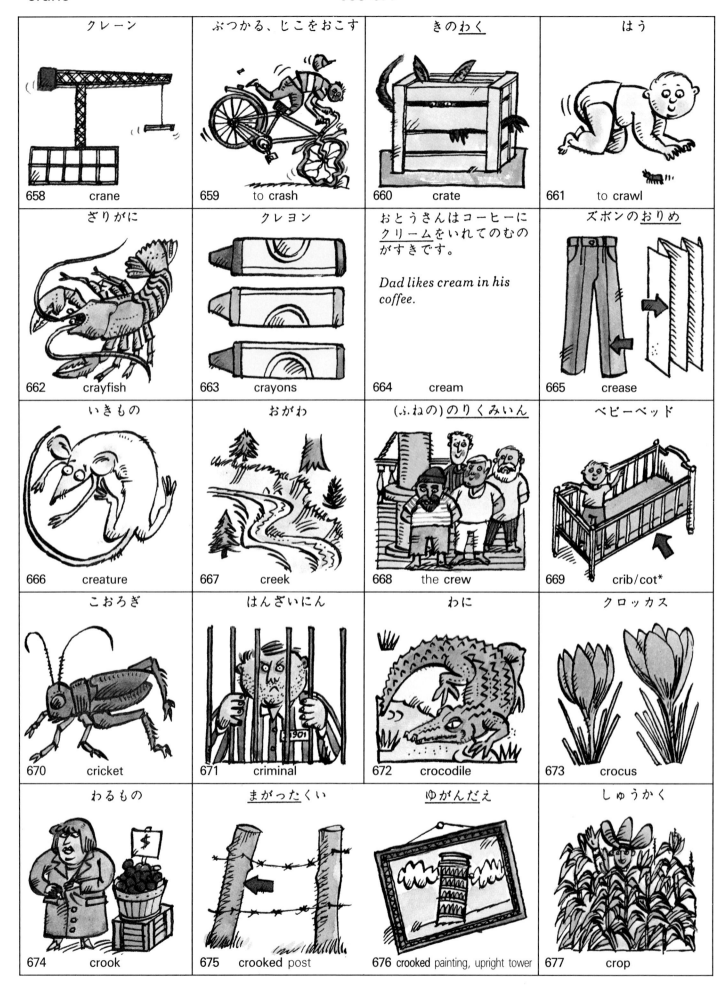

クレーン	ぶつかる、じこをおこす	きの<u>わく</u>	はう
658 crane	659 to crash	660 crate	661 to crawl
ざりがに	クレヨン	おとうさんはコーヒーに<u>クリーム</u>をいれてのむのがすきです。 *Dad likes cream in his coffee.*	ズボンの<u>おりめ</u>
662 crayfish	663 crayons	664 cream	665 crease
いきもの	おがわ	(ふねの)<u>のりくみいん</u>	ベビーベッド
666 creature	667 creek	668 the crew	669 crib/cot*
こおろぎ	はんざいにん	わに	クロッカス
670 cricket	671 criminal	672 crocodile	673 crocus
わるもの	<u>まがったくい</u>	<u>ゆがんだえ</u>	しゅうかく
674 crook	675 crooked post	676 crooked painting, upright tower	677 crop

じゅうじか	わたる、よこぎる	けす	からす
678 cross	679 to cross	680 to cross out	681 crow

おおぜいのひと	おうかん	おういをさずける	くず
682 A big crowd in a small space.	683 crown	684 to crown	685 crumb

つぶす	パイのかわ	まつばづえ	なく
686 to crush	687 crust	688 crutch	689 to cry

すいしょうのたま	こぐま	りっぽうたい、キューブ	かっこう
690 crystal	691 cub	692 cube	693 cuckoo

きゅうり	カフス	カップ、(お)ちゃわん	しょっきだな
694 cucumber	695 cuff	696 cup	697 cupboard

ろかた	なおる	カールする	ちぢれげ、カーリーヘアー
698 curb/kerb*	699 I am cured.	700 to curl	701 curly
こうきしんのつよい、しりたがりや (の)	すぐり	ながれ	カーテン
702 curious	703 currant	704 current	705 curtains
カーブ	クッション	おきゃくさん、おとくいさん	きる
706 curve	707 cushion	708 customer	709 to cut
かわいい	ナイフ・フォークるい	じてんしゃ	わりこむ
712 cute/sweet*	713 cutlery	714 cycle	710 to cut in
シリンダー	シンバル	いとすぎ	きりとる
715 cylinder	716 cymbals	717 cypress	711 to cut out

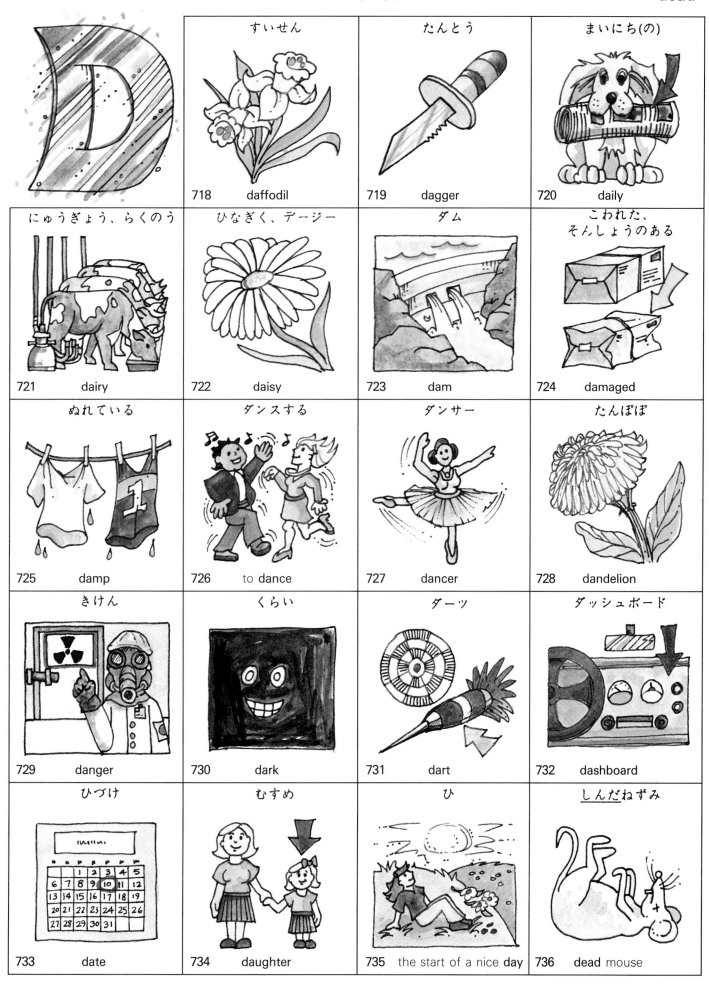

	すいせん	たんとう	まいにち(の)
D	718 daffodil	719 dagger	720 daily
にゅうぎょう、らくのう	ひなぎく、デージー	ダム	こわれた、そんしょうのある
721 dairy	722 daisy	723 dam	724 damaged
ぬれている	ダンスする	ダンサー	たんぽぽ
725 damp	726 to dance	727 dancer	728 dandelion
きけん	くらい	ダーツ	ダッシュボード
729 danger	730 dark	731 dart	732 dashboard
ひづけ	むすめ	ひ	しんだねずみ
733 date	734 daughter	735 the start of a nice day	736 dead mouse

つんぼ	チャックはしたしいともだちです。 あ、（お）さいふをわすれた。 *Chuck is my dear friend. Oh dear, I forgot my wallet.*	12がつ	アシュレイは なにをきたらよいか きめられません。 *Ashley cannot decide what to wear.*
737 deaf	738 dear	739 December	740 to decide
かんぱん、デッキ	かざる	かざり	ふかい
741 deck	742 to decorate	743 decoration	744 deep end
しか	はいたつする	へこます	はいしゃ
745 deer	746 to deliver	747 to dent	748 dentist
デパート、ひゃっかてん	さばく	つくえ	デザート
749 department store	750 desert	751 desk	752 dessert
はかいする	くちくかん	たんてい	つゆ
753 to destroy	754 destroyer	755 detective	756 dew

たいかくせん 757 diagonal	ず 758 diagram	ダイヤモンド 759 diamond	おむつ 760 diaper/nappy*
にっき 761 diary	じしょ、じびき 762 dictionary	しぬ 763 to die	ひるとよるとでは たいへんなちがいがあります。ひとはみなびょうどうであって、さはまったくありません。 *There is quite a difference between night and day. All people are equal, there is no difference between them.* 764 difference
ちがった、ことなった 765 different people	ほる 766 to dig	しょうかする 767 The snake **digests** an elephant.	うすぐらい 768 dim
えくぼ 769 dimple	ちいさいふね 770 dinghy	しょくどう 771 dining room	ゆうしょく、ばんごはん 772 dinner
きょうりゅう 773 dinosaur	ほうこう 774 direction	ほこり 775 dirt	きたない、よごれた 776 dirty

いけんが あわない	きえる	さいがい	はっけんする
777　to disagree	778　to disappear	779　disaster	780　to discover
ぎろんする、はなしあう	びょうき	へんそう	さら
781　to discuss	782　disease	783　disguise	784　dishes
しょうじきではないひと	さらあらいき、しょっきあらいき	きらう	とける
785　a dishonest person	786　dishwater	787　to dislike	788　to dissolve
きょり	とおい、はなれた	ちいき	みぞ
789　distance between two trees	790　a distant tree	791　district	792　ditch
とびこむ	わける	めまいがする	どうしようかな。
793　to dive	794　to divide	795　I feel dizzy.	796　What shall I do?

さんばし、ドック	いしゃ	いぬ	にんぎょう
797 dock	798 doctor	799 dog	800 doll
いるか、ドルフィン	ドーム	ろば	ドア、と
801 dolphin	802 dome	803 donkey	804 door
ドアの とって	ダブル、かえだま	ねりこ	はと
805 doorknob	806 double	807 dough	808 dove
わたげ	いねむり(を)する	いち ダース	ひきずる
809 down	810 to doze	811 dozen	812 to drag
りゅう、ドラゴン	とんぼ	はいすいぐち	えをかく
813 dragon	814 dragonfly	815 drain/plug hole*	816 to draw

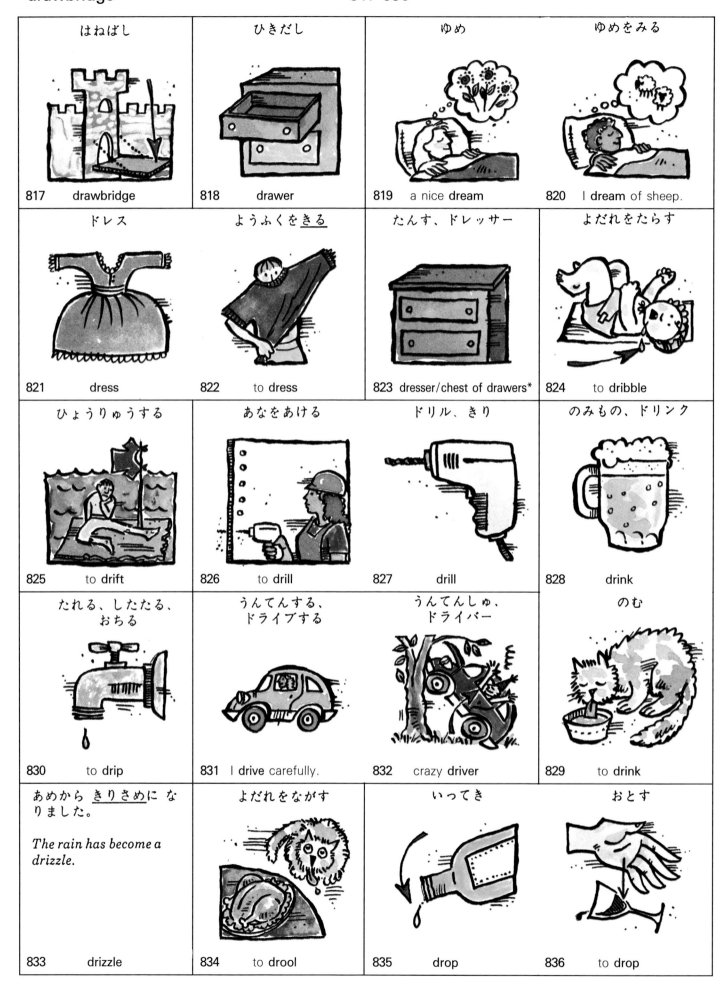

はねばし	ひきだし	ゆめ	ゆめをみる
817 drawbridge	818 drawer	819 a nice dream	820 I dream of sheep.
ドレス	ようふくをきる	たんす、ドレッサー	よだれをたらす
821 dress	822 to dress	823 dresser/chest of drawers*	824 to dribble
ひょうりゅうする	あなをあける	ドリル、きり	のみもの、ドリンク
825 to drift	826 to drill	827 drill	828 drink
たれる、したたる、おちる	うんてんする、ドライブする	うんてんしゅ、ドライバー	のむ
830 to drip	831 I drive carefully.	832 crazy driver	829 to drink
あめから きりさめに なりました。 *The rain has become a drizzle.*	よだれをながす	いってき	おとす
833 drizzle	834 to drool	835 drop	836 to drop

よる	おいていく	とちゅうでやめる	ねむい、うとうとする
837 to drop in	838 Dad drops off the cat at the vet.	839 to drop out	840 I feel drowsy.
ドラム、たいこ	かわいている	ほす、かわかす	ドライクリーニング
841 drum	842 dry	843 to dry	844 dry cleaner
かんそうき、ドライヤー	こうしゃくふじん	あひる	けっとう
845 dryer	846 duchess	847 duck	848 duel
こうしゃく	ごみのやま	すてる	ダンプカー
849 duke	850 dump	851 to dump	852 dumptruck/lorry*
つちろう	ゆうぐれ	ほこり	こびと
853 dungeon	854 dusk	855 dust	856 dwarf

E

それぞれ
857 **Each** rabbit has a carrot.

わし
858 eagle

みみ
859 ear

はやい
860 early

おかねを つかうまえに まず かせがなければなりません。

You must earn money before you spend it.

861 to **earn**

ちきゅう
862 Earth

つち
863 earth

じじん
864 earthquake

イーゼル
865 easel

ひがし
866 east

やさしい、らく（な）
867 Swimming is **easy.**

たべる
868 to eat

あさごはんをたべる
869 to eat breakfast

おひるごはんをたべる
870 to eat lunch

ばんごはんをたべる
871 to eat dinner/supper*

やまびこ
872 echo

にっしょく
873 eclipse

はし
874 The tree is at the **edge.**

うなぎ
875 eel

たまご **876** egg	なす **877** eggplant/aubergine*
やっつ、はち **878** eight	やっつめ、はちばんめ **879** eighth
わゴム **880** elastic	ひじ **881** elbow
せんきょで だれが かちましたか。 せんきょは せっせんでした。 *Who won the election?* *The election was very close.* **882** election	でんきや **883** electrician
でんき **884** electricity	ぞう **885** elephant
エレベーター **886** elevator/lift*	おおじか **887** elk
にれ **888** elm	はずかしがる **889** to embarrass
だきあう **890** to embrace	ししゅう **891** embroidery
ひじょうじたい **892** emergency	から、からっぽ **893** The jar is empty.
おわり **894** This is the end.	てき **895** enemies

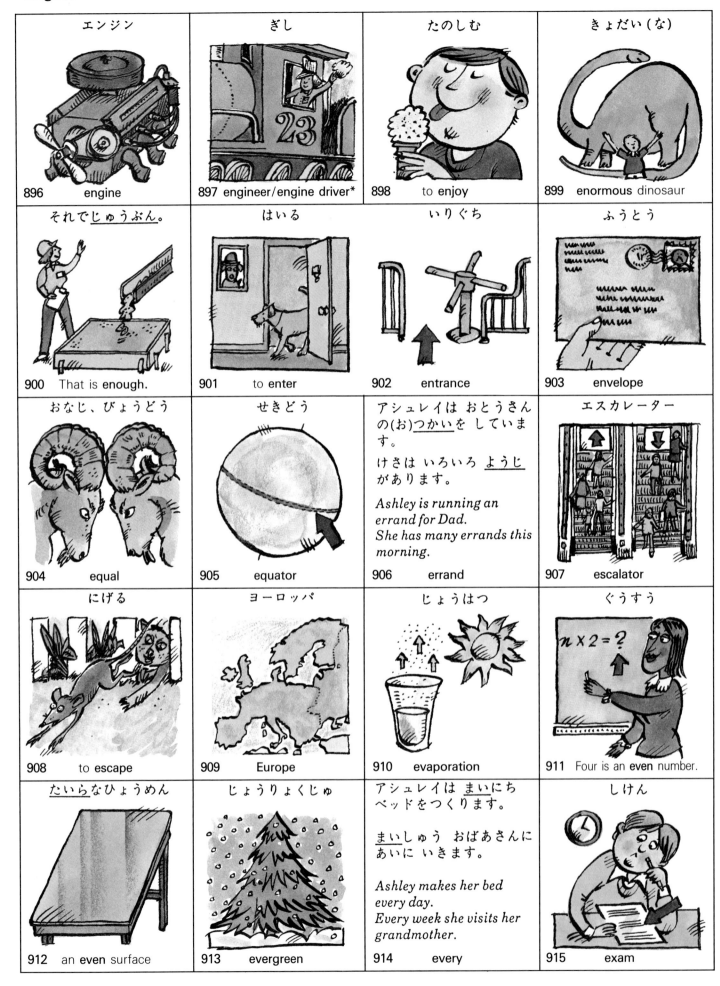

エンジン	ぎし	たのしむ	きょだい（な）
896 engine	897 engineer/engine driver*	898 to enjoy	899 enormous dinosaur
それでじゅうぶん。	はいる	いりぐち	ふうとう
900 That is enough.	901 to enter	902 entrance	903 envelope
おなじ、びょうどう	せきどう	アシュレイは おとうさんの(お)つかいを しています。 けさは いろいろ ようじ があります。 *Ashley is running an errand for Dad. She has many errands this morning.*	エスカレーター
904 equal	905 equator	906 errand	907 escalator
にげる	ヨーロッパ	じょうはつ	ぐうすう
908 to escape	909 Europe	910 evaporation	911 Four is an even number.
たいらなひょうめん	じょうりょくじゅ	アシュレイは まいにち ベッドをつくります。 まいしゅう おばあさんに あいに いきます。 *Ashley makes her bed every day. Every week she visits her grandmother.*	しけん
912 an even surface	913 evergreen	914 every	915 exam

しらべる
916 to examine

れいを あげると、わかり
やすくなるものです。

Things are easier to understand when you give an example.
917 example

かんたんふ
918 exclamation mark

「ごめんなさい。」、
「しつれい。」
919 Excuse me!

うんどうする
920 to exercise

アシュレイは
「そんなものはない。」
といいましたが、
それは「そんなものは
そんざいしない。」とい
ういみです。

Ashley said "There is no such thing," and she meant "it does not exist."
921 to exist

そとへでる
922 to exit/leave*

おおきくなる、ひろがる
923 to expand

おとうさんは アシュレイ
が いいこであることを
きたいしています。

Dad expects Ashley to be a good girl.
924 to expect

たかい、こうか(な)
925 expensive

じっけん
926 experiment

エキスパート
927 expert

せつめいする
928 to explain

たんけんする
929 to explore

ばくはつ
930 explosion

しょうかき
931 extinguisher

め
932 eye

まゆげ
933 eyebrow

めがね
934 eyeglasses/spectacles*

まつげ
935 eyelash

	はなし、ぐうわ	かお	こうじょう
	936　fable	937　face	938　factory

しけんに しっぱいする。	こわれる	(お)まつり	ようせい
939　to fail	940　to fail	941　fair	942　fairy

あなたを しんらいして いますよ。

We have faith in you.

	にせもの	あき	おちる
943　faith	944　fake painting	945　fall/autumn*	946　to fall

まちがい	かぞく	ころぶ	おちる
949　false alarm	950　family	947　to fall down	948　to fall off

ゆうめいな じょゆう	せんぷうき	しゃれた、すてきな	きば
951　famous actress	952　fan	953　fancy clothes	954　fang

とおい	さようなら	のうじょう	のうふ
955　The city is **far** away.	956　Farewell !	957　farm	958　farmer
はやい	しめる	ふとっている	ちめいてき
959　fast	960　I **fasten** my seatbelt.	961　fat	962　fatal
おとうさん、ちちおや	じゃぐち	だれの<u>せい</u>かな？	ちょっと おねがいがあるんですが……。 アシュレイは、ひとに しんせつをするのがすきです。 *Can I ask you a favor ? Ashley likes doing people favors.*
963　father	964　faucet/tap*	965　Whose **fault** is it?	966　favor/favour*
すき(な)、きにいった	おそれる	おいわいのごちそう	はね
967　favorite/favourite*	968　to **fear** the worst	969　feast	970　feather
にがつ	たべさせる	かんじる、おもう	めす
971　February	972　to **feed**	973　I **feel** well.	974　female

さく 975 fence	フェンダー 976 fender/wing*	しだ 977 fern	フェリー、わたしぶね 978 ferry
まつり 979 festival	ねつ 980 fever	ひとが すこししか こない 981 Few people came.	はらっぱ 982 field
いつつめ、ごばんめ 983 fifth	けんかする、たたかう 984 to fight	つめを みがく 985 to file	みたす、いっぱいにする 986 to fill
フィルム 988 film	きたない 989 filthy	ひれ 990 fin	いっぱいにする 987 to fill up
ばっきん 991 fine	ぼくは げんきだよ。 992 I am fine.	ゆび 993 finger	しもん 994 fingerprint

おえる、おわる 995　to finish	もみ 996　fir
ひ 997　fire	しょうぼうしゃ 998　fire engine

ひじょうぐち 999　fire escape	はなび 1000　firecracker/banger*
しょうぼうし 1001　firefighter	だんろ 1002　fireplace

アシュレイは<u>しっかりした</u>あくしゅをします。

ペニーの<u>かいしゃ</u>は おもちゃをつくっています。

Ashley has a firm handshake.
Penny's firm makes toys.

1003　firm

いちばん、いちばんめ、
1004　first

さかな
1005　fish

さかなをつる
1006　to fish

つりばり 1007　fishhook	こぶし、げんこつ 1008　fist
いつつ、ご 1009　five	なおす 1010　to fix

はた 1011　flag	せっぺん 1012　flake
ほのお 1013　flame	はばたきする 1014　to flap

しょうめい	フラッシュ	フラシュライト、かいちゅうでんとう	フラスコ
1015 flare	1016 flash	1017 flashlight/torch*	1018 flask

たいら	たいらにのばす	フレーバー、あじ	のみ
1019 flat	1020 to flatten	1021 flavor/flavour*	1022 flea

にげる	ひつじのけ、ようもう	にく	うかぶ
1023 to flee	1024 fleece	1025 flesh	1026 to float

とりの いちぐん、 むれ	こうずい	ゆか	こな
1027 flock	1028 flood	1029 floor	1030 flour

ながれる	はな	りゅうかんで ねている。	ふわふわした わたげ
1031 to flow	1032 flower	1033 flu	1034 fluff

えきたい	はえ	まえたて	とぶ
1035 fluid	1036 fly	1037 fly	1038 to fly
あわ	きり	おる	ついていく
1039 foam	1040 fog	1041 to fold	1042 to follow
たべもの、しょくもつ	あし	フットボール	あしあと
1043 food	1044 foot	1045 American football	1046 footprint
あしおと	こじんはすべてのひとのため、また、すべてはこじんのためにある。 *One for all and all for one.*	ちからづくでおす	ひたい
1047 footsteps	1048 for	1049 to force	1050 forehead
もり、はやし	わたしの いぬは、じぶんのなまえを わすれます。 おとうさんは ミルクをかうのを わすれました。 *My dog forgets his name.* *Dad forgot to buy milk.*	もう うそをつかないとやくそくすれば、ゆるしてあげます。 *I forgive you if you promise not to tell lies from now on.*	フォーク
1051 forest	1052 to forget	1053 to forgive	1054 fork

フォークリフト	じんだい、かた	ようさい	しょうめんのドアのところまで あるいていってください。 *Keep walking forward until you reach the front door.*
1055 forklift	1056 form/tailor's dummy*	1057 fort	1058 forward
かせき	<u>いやな</u>におい	きそ、どだい	ふんすい
1059 fossil	1060 foul odor/odour*	1061 foundation	1062 fountain
きつね	はち<u>ぶん</u> の いち	こわれやすい、もろい	わく、がくぶち
1063 fox	1064 fraction	1065 fragile	1066 frame
そばかす	じゆう(な)	こおる	<u>しんせん</u>なりんご
1067 freckle	1068 free	1069 to freeze	1070 fresh
アシュレイは <u>きんようび</u>には やきゅうのしあいに いきます。 *Ashley goes to a baseball game on Fridays.*	れいぞうこ	ともだち	おどかす、びっくりさせる
1071 Friday	1072 fridge	1073 friends	1074 to frighten

かえる	かせいからきました。	まえ	しも
1075　frog	1076　I am **from** Mars.	1077　front	1078　frost
しかめつらをする	くだもの、フルーツ	やく、いためる、あげる	フライパン
1079　to **frown**	1080　fruit	1081　to **fry**	1082　frying pan
ねんりょう	いっぱい	たのしむ	ぼきん
1083　Cars need **fuel**.	1084　full	1085　having **fun**	1086　charity **fund**
そうしき	ろうと、じょうご	がっこうへ いくとちゅうで おかしなことが おこりました。アシュレイは そのきのこを たべたら、（おなかが）おかしくなりました。*A funny thing happened on the way to school. Ashley felt funny after eating that mushrooom.*	けがわのコート
1087　funeral	1088　funnel	1089　funny	1090　fur coat
ろ	かぐ	ヒューズ	けのふさふさした
1092　furnace/boiler*	1093　furniture	1094　fuse	1091　furry

G

	とっぷう、おおかぜ 1095 gale	ギャラリー、がろう 1096 gallery	うまがかける、ギャロップ 1097 to gallop
ゲーム 1098 game	がちょう 1099 gander	ギャング ぼうりょくだん 1100 gang	ギャップ、すきま 1101 gap
ガレージ、しゃこ 1102 garage	ごみ 1103 garbage/rubbish*	ごみいれ 1104 garbage can/rubbish bin*	やさいばたけ 1105 vegetable garden
うがいする 1106 to gargle	にんにく 1107 garlic	ガーター 1108 garter	あるきたいは くうきより かるいです。しょうぼうふは けむりを さけるために ガスマスク をします。 *Some gases are lighter than air. Firemen wear gas masks against the smoke.* 1109 gas
ガソリン 1110 gas/petrol*	アクセル 1111 gas pedal/accelerator*	ガソリンポンプ 1112 gas/petrol pump*	ガソリンスタンド 1113 gas/petrol station*

もん 1114　gate	あつめる 1115　to gather	はぐるま、ギヤ 1116　gears	ほうせき 1117　gem
たいしょう 1118　general	きまえのよい 1119　a generous friend	きのやさしい 1120　a gentle person	しんし 1121　gentleman
ほんもの(の)、 じゅんしゅ(の) 1122　a genuine pig	ちり 1123　geography	ゼラニューム 1124　geranium	ペットのジャービル 1125　gerbil
きん、さいきん 1126　germ	つかまえる 1127　Get that mouse!	とりかえす 1128 I want to get it back.	はいる 1129　to get in the pool
おりる 1130　to get off	のる 1131　to get on	すてる 1132　to get rid of	おきる 1133　to get up

おばけ、ゆうれい	きょじん	ギフト、おくりもの	きょだい(な)
1134 ghost	1135 giant	1136 gift	1137 gigantic

くすくすわらう	えら	しょうが	ジンジャーブレッド
1138 to giggle	1139 gills	1140 ginger	1141 gingerbread

ジプシー	きりん	おんなのこ	あげる
1142 gipsy	1143 giraffe	1144 girl	1145 to give

ひょうが	うれしい	ガラス	かえしてあげる
1148 glacier	1149 I am glad.	1150 glass	1146 to give back

めがね	すべる	コップ	こうさんする
1152 glasses	1153 to glide	1151 glass	1147 I give up!

グライダー	てぶくろ	のり、せっちゃくざい	いく
1154 glider	1155 gloves	1156 glue	1157 to go
ゴール	やぎ	ゴーグル、すいちゅうめがね	おりる
1161 goal	1162 goat	1163 goggles	1158 to go down
きん	きんぎょ	ゴルフ	はいる
1164 gold	1165 goldfish	1166 golf	1159 to go in
いい、よい	さようなら	がちょう	あがる、のぼる
1167 good	1168 Goodbye!	1169 goose	1160 to go up
すぐり	ゴージャス（な）、ごうか（な）	ゴリラ	せいふはくにをおさめる。
1170 gooseberry	1171 gorgeous	1172 gorilla	1173 to govern

せいふはくにを<u>おさめる</u>。

くにをおさめる ということ とは いっけん やさしそ うに みえるが、けっして やさしくは ない。

The government governs the country.
It is not as easy to govern a country as it seems.

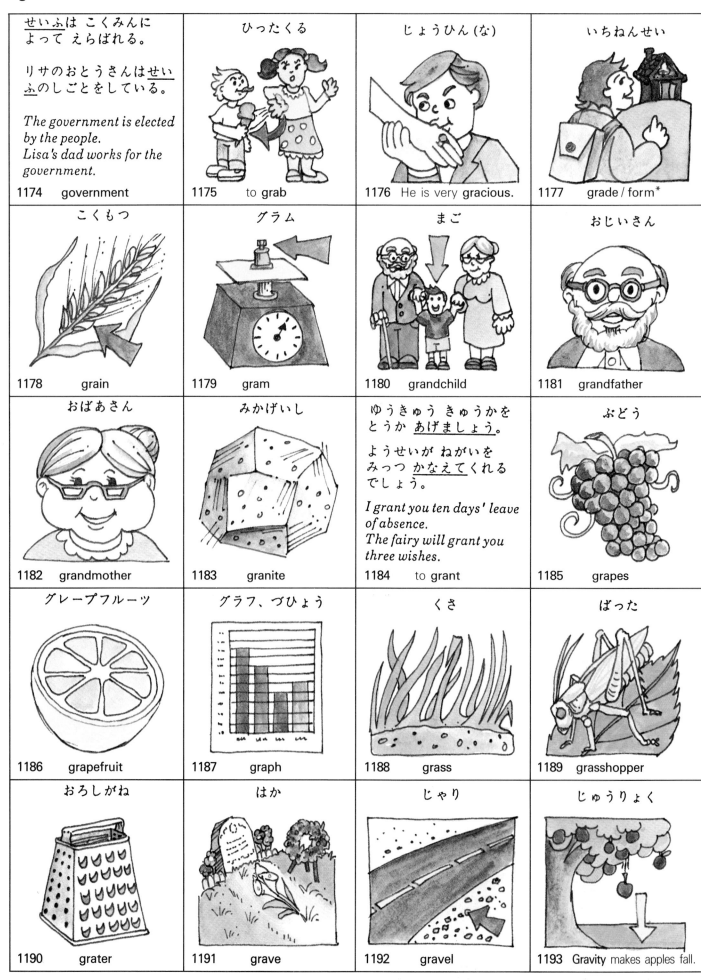

せいふは こくみんに
よって えらばれる。

リサのおとうさんはせい
ふのしごとをしている。

*The government is elected
by the people.
Lisa's dad works for the
government.*

1174   government

ひったくる

1175   to grab

じょうひん（な）

1176 He is very gracious.

いちねんせい

1177   grade / form*

こくもつ

1178   grain

グラム

1179   gram

まご

1180   grandchild

おじいさん

1181   grandfather

おばあさん

1182   grandmother

みかげいし

1183   granite

ゆうきゅう きゅうかを
とうか あげましょう。

ようせいが ねがいを
みっつ かなえてくれる
でしょう。

*I grant you ten days' leave
of absence.
The fairy will grant you
three wishes.*

1184   to grant

ぶどう

1185   grapes

グレープフルーツ

1186   grapefruit

グラフ、づひょう

1187   graph

くさ

1188   grass

ばった

1189   grasshopper

おろしがね

1190   grater

はか

1191   grave

じゃり

1192   gravel

じゅうりょく

1193 Gravity makes apples fall.

くさをたべる	あぶら	すばらしい、とてもいい	けち(な)、よくばり(の)
1194　　to graze	1195　　grease	1196　　a great toy	1197　　greedy

みどりいろ	グリーンピース	グリーンハウス、おんしつ	あいさつする
1198　　green	1199　　green bean	1200　　greenhouse	1201　　to greet

グレイ、ねずみいろ	やく	よごれた、きたない	にやにやする
1202　　grey*/gray	1203　　to grill	1204　　grimy	1205　　to grin

ひく	つかむ	うめく	しょくりょうひんてん
1206　to grind/to mince*	1207　　to grip	1208　　to groan	1209　　grocer

しんろう、はなむこ	ばてい	ブラシをかけてきれいにする	しょくりょうひん
1211　　groom	1212　　groom	1213　　to groom	1210　shopping for **groceries**

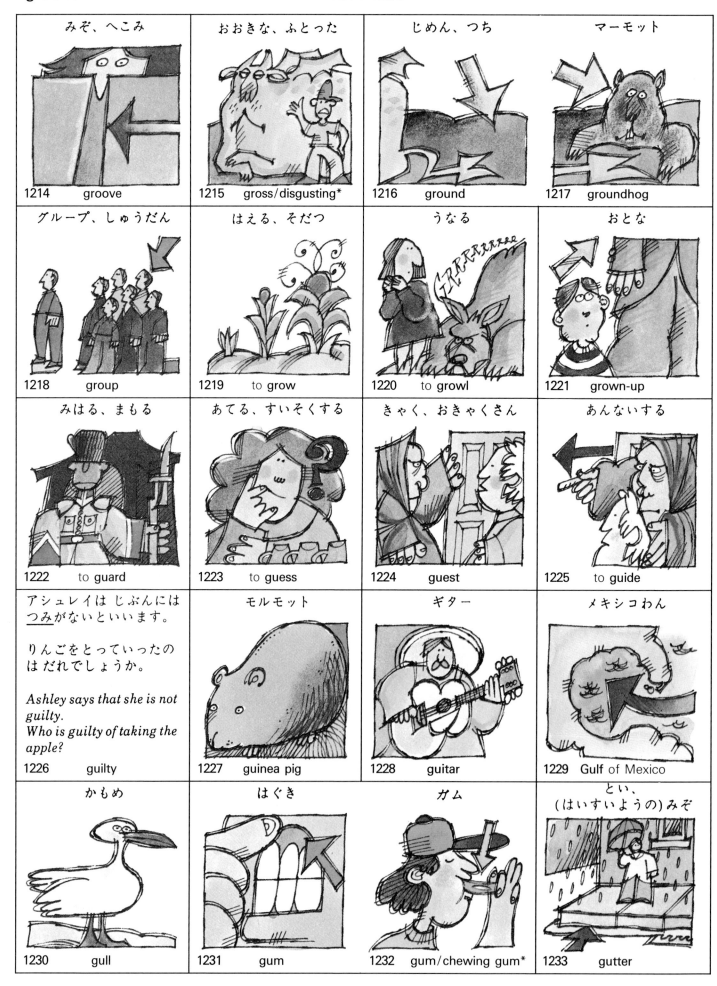

みぞ、へこみ
1214 groove

おおきな、ふとった
1215 gross/disgusting*

じめん、つち
1216 ground

マーモット
1217 groundhog

グループ、しゅうだん
1218 group

はえる、そだつ
1219 to grow

うなる
1220 to growl

おとな
1221 grown-up

みはる、まもる
1222 to guard

あてる、すいそくする
1223 to guess

きゃく、おきゃくさん
1224 guest

あんないする
1225 to guide

アシュレイは じぶんには
つみがないといいます。

りんごをとっていったの
は だれでしょうか。

Ashley says that she is not guilty.
Who is guilty of taking the apple?
1226 guilty

モルモット
1227 guinea pig

ギター
1228 guitar

メキシコわん
1229 Gulf of Mexico

かもめ
1230 gull

はぐき
1231 gum

ガム
1232 gum/chewing gum*

とい、
(はいすいようの)みぞ
1233 gutter

	わるいしゅうかん、くせ	たら（のいっしゅ）	ひょう
	1234 bad habit	1235 haddock	1236 hail
かみのけ、け	ヘアーブラシ	びようし	ヘアードライヤー
1237 hair	1238 hairbrush	1239 hairdresser	1240 hairdryer
はんぶん	（げんかんの）ひろま、ホール	ハロウィーン	ろうか
1241 half	1242 hall	1243 Halloween/Hallowe'en*	1244 hallway/corridor*
とまる	かなづち、ハンマー	うつ	ハンモック
1245 to halt	1246 hammer	1247 to hammer	1248 hammock
ハムスター	て	だす、てわたす	ハンドブレーキ
1249 hamster	1250 hand	1251 to hand out	1252 hand brake

てじょう

1253   handcuffs

めがみえない ということ は ハンディキャップ だ。

どんな しょうがい でも のりこえる ことができます。

Being blind is a handicap. People can overcome any handicap.

1254   handicap

ハンドル、とって

1255   handle

てすり

1256   handrail

ハンサム (な)

1257   handsome

きような ひと

1258   handy person

えを かける

1259   to hang

しがみつく、がんばる

1260   to hang on

かくのうこ

1262   hangar

ハンガー

1263   hanger

ハンカチ

1264   handkerchief

かける、つるす

1261   to hang up

じこが おこる

1265   Accidents happen.

しあわせ (な)、こうふく (な)

1266   He is happy.

みなと

1267   harbor/harbour*

かたい

1268   hard

のうさぎ

1269   hare

きずつける、がいを あたえる

1270   to harm

ハーモニカ

1271   harmonica

ばぐ

1272   harness

ハープ	きびしいふゆ	かりいれる	ぼうし
1273　harp	1274　a **harsh** winter	1275　to **harvest**	1276　hat
たまごがかえる	おの	ひきずる、ひっぱる	おばけやしき
1277　to **hatch**	1278　hatchet	1279　to **haul**	1280　**haunted** house
もっている	たか	ほしぐさ	もや
1281　to **have**	1282　hawk	1283　hay	1284　**Haze** makes for a hazy day.
ヘーゼル、はしばみ	ヘーゼルナッツ	あたま	づつう
1285　hazel	1286　hazelnut	1287　head	1288　I have a **headache**.
ヘッドレスト	なおる	げんき(な)、けんこう(な)	ごみのやま
1289　headrest	1290　to **heal**	1291　**healthy** flower	1292　heap/pile*

こえが<u>きこえる</u>	しんぞう	あたためる	ヒーター
1293　I **hear** a voice.	1294　**heart**	1295　to **heat**	1296　**heater**/radiator*
もちあげる	てんごく	<u>おもい</u>ぞう	かきね
1297　to **heave**	1298　**heaven**	1299　one **heavy** elephant	1300　**hedge**
はりねずみ	かかと	ヘリコプター	じごく
1301　**hedgehog**	1302　**heel**	1303　**helicopter**	1304　**hell**
こんにちは。	かじ	ヘルメット	たすける、てつだう
1305　**hello**	1306　**helm**	1307　**helmet**	1308　to **help**
むりょく(な)	すそ、へり	はんきゅう	めんどり
1309　**helpless**	1310　**hem**	1311　**hemisphere**	1312　**hen**

しちかっけい、
ななかっけい
1313　heptagon

やくそう
1314　herbs

うしのむれ
1315　herd

ここにいらしゃい!
1316　Come here!

よすてびと
1317　hermit

えいゆう、ヒーロー
1318　hero

ヒロイン
1319　heroine

にしん
1320　herring

ためらう、
ちゅうちょする
1321　to hesitate

ろっかっけい
1322　hexagon

とうみんする
1323　to hibernate

しゃっくりがでる
1324　to hiccup/hiccough*

どうぶつのかわ
1325　hide

かくれる
1326　to hide

かくれば
1327　hiding-place

たかいやま
1328　a high mountain

こうそうけんちく
1329　highrise/tower block*

こうとうがっこう、
こうこう
1330　high school/secondary school*

ハイウェイ
1331　highway/motorway*

ハイジャックする
1332　to hijack a plane

おか	ちょうつがい、とめがね	うしろあし	こし、ヒップ
1333　hill	1334　hinge	1335　hind legs	1336　hand on hip
かば	れきし	うつ、たたく	はちのす
1337　hippopotamus	1338　I study history.	1339　to hit	1340　hive
ためこむ	がらがらごえ	しゅみ	アイスホッケー
1341　to hoard	1342　hoarse voice	1343　hobby	1344　hockey/ice hockey*
くわ	だく、もつ	おさえつける	パック
1347　hoe	1348　to hold	1349　to hold down	1345　hockey puck
あな	やすみ、さいじつ、きゅうじつ	くうどう、うろ	スティック
1350　hole	1351　holiday	1352　hollow tree	1346　hockey stick

ひいらぎ	しんせいなうし	いえにいる	しゅくだい
1353 holly	1354 a holy cow	1355 home	1356 homework
しょうじき(な)	はちみつ	(こけいの)はちみつ	ハニーデュー・メロン
1357 Is he honest?	1358 honey	1359 honeycomb	1360 honeydew melon
クラクションをならす	めいよ、えいよ	フード	ボンネット、フード
1361 to honk	1362 honor/honour*	1363 hood	1364 hood/bonnet*
ひづめ	つりばり、かぎばり	フープ、わ	ぴょんぴょんとぶ
1365 hoof	1366 hook	1367 jump through a hoop	1368 to hop
きぼうする	きぼうがない	いしけりゲーム	ちへいせん
1369 I hope to win.	1370 hopeless	1371 hopscotch/hop-scotch*	1372 horizon

すいへいの	けいてき	ホルン	つの
1373 horizontal	1374 horn	1375 French **horn**	1376 horn

すずめばち	うま	せいようわさび	ていてつ
1377 hornet	1378 horse	1379 horseradish	1380 horseshoe

ホース	びょういん	あつい	からい
1381 hose	1382 hospital	1383 hot	1384 hot

ホテル	じかん	すなどけい	とうがらし
1386 hotel	1387 hour	1388 hourglass	1385 hot pepper

いえ、うち	ホーバークラフト	どうするか おしえて あげる。	とおぼえ
1389 house	1390 hovercraft	1391 I will show you **how**.	1392 to **howl**

ホイールキャップ 1393 hub cap	ハックルベリー、 こけもも 1394 huckleberry
みをかがめる 1395 to huddle	きょだい(な)、おおきな 1396 huge
せんたい 1397 hull	はちどり 1398 hummingbird
らくだのこぶ 1399 hump	ひゃく 1400 hundred
おなかがすいている 1401 She is hungry.	かりをする 1402 to hunt
なげる 1403 to hurl	ハリケーン、ぼうふう 1404 hurricane
いそぐ 1405 to hurry	てくびがいたい 1406 My wrist hurts.
おっと、しゅじん 1407 husband	こや 1408 hut
しょっきだな 1409 hutch/sideboard*	ヒヤシンス 1410 hyacinth
さんびか 1411 hymn	ハイフンとは、ことばと ことばをむすぶ みじかい せんのことです。 *Hyphens are short lines between words.* 1412 hyphen

	アイス、こおり	アイスクリーム	ひょうざん
	1413　ice	1414　ice cream	1415　iceberg

つらら	アイシング	アイディア、かんがえ	まったくおなじ
1416　icicle	1417　icing	1418　idea	1419　identical twins

ばか、はくち	ぶらぶらしている	もしかうことができれば、あなたにかってあげるんですが…。 *I would buy it for you if I could.*	イグルー
1420　idiot	1421　idle	1422　if	1423　igloo

イグニッション・キー	びょうき	てらす	ほんのなかのえを さしえ といいます。 このじびきには さしえが たくさんあります。 *Pictures in a book are called illustrations. This dictionary has many illustrations.*
1424　ignition key	1425　ill	1426　to illuminate	1427　illustration

アシュレイにとってたいせつなことは、ジャックにとってじゅうようなことかもしれません。 *What is important to Ashley may not be important to Jack.*	トニーさんは いますか。 みずうみに とびこみなさい。 *Is Tony in?* *Go jump in the lake!*	(お)こう	インチ
1428　important	1429　in	1430　incense	1431　inch

ほんのうしろに さくいん があります。
インデックスには じしょ にでてくることばが ぜんぶふくまれています。

There is an index at the back of this book.
The index contains all the words in the dictionary.

1432   index

あいいろ

1433   indigo

おくない、しつない

1434   indoors

ちのみご、ようじ

1435   infant

かんせん、でんせん

1436   infection

でんせんびょうにかかり ますよ。

ときどきわらいは うつり ます。

You could catch an infectious disease. Sometimes laughter is infectious.

1437   infectious

しらせる、おしえる

1438   to inform

くまは ほらあなに すんでいる。

1439   The bear inhabits a cave.

イニシャル、かしらもじ

1440   initials

ちゅうしゃ

1441   injection

けが

1442   injury

インク

1443   ink

こんちゅう

1444   insect

はこのなか

1445   inside

いいはる、 しゅちょうする

1446   to insist

しらべる、けんさする

1447   to inspect

フォークのかわりに スプーンをつかう。

1449   Use a spoon instead of a fork!

つかいかたの せつめい、 しじ

1450   instruction

こうし、せんせい

1451   instructor

けいぶ

1448   inspector

でんせんのまわりには
ひとが さわっても
かんでんしないように
<u>ぜつえんたい</u>が まいて
あります。

There is insulation around the wires so people will not get a shock.

1452　insulation

こうさてん

1453　intersection/crossroads*

インタビュー、めんせつ

1454　interview

へやの<u>なか</u>に はいる

1455　into the room

しょうかいする

1456　to introduce

しんにゅうする

1457　to invade

びょうにん

1458　invalid

はつめいする

1459　to invent

めにみえない

1460　invisible

しょうたい

1461　invitation

しょうたいする、まねく

1462　He is inviting her.

あやめ、アイリス

1463　iris

アイロンをかける

1464　to iron

アイロン

1465　iron

てっかめん

1466　iron mask

しま

1467　island

アシュレイは うでに はっ
しんが できて <u>かゆい</u>です。

The rash on Ashley's arm makes her skin itch.

1468　itch

かく

1469　to itch

かゆい

1470　My skin is itchy.

つた

1471　ivy

つっつく	うわぎ、ジャケット	ほんのカバー
1472　to jab	1473　jacket	1474　dust jacket
ぎざぎざ	けいむしょ、かんごく	ジャム	おしこむ、つめこむ
1475　jagged edge	1476　jail/gaol*	1477　jam	1478　to jam
いちがつ	びん	あご	ジーパン、ジーンズ
1479　January	1480　jar	1481　jaw	1482　jeans
ジープ	ゼリー	ジェットエンジン	ジェットき
1483　jeep	1484　jelly	1485　jet engine	1486　jet plane
ほうせき	ジグソーパズル	しごとをする	ふきだし
1488　jewel	1489　jigsaw puzzle	1490　doing a job	1487　jet of water

きしゅ、ジョッキー
1491 jockey

ジョギングする
1492 to jog

あわせる、つける
1493 to join

かんせつ
1494 joint

じょうだん、ジョーク
1495 joke

はんじ、さいばんかん
1496 judge

てじなし
1497 juggler

ジュース
1498 juice

しちがつ
1499 July

ジャンプする、とぶ
1500 to jump

とびこむ
1501 to jump in

とびのる
1502 to jump on

ちょうやくのせんしゅ
1503 jumper

ジャンパー
1504 jumper/pinafore*

ジャンパーケーブル
1505 jumper cables/jump leads*

ろくがつ
1506 June

ジャングル
1507 jungle

ジャンク
1508 junk

がらくた、くず
1509 junk

アシュレイは ちょうど
うちに かえったところ
です。

はんじは ただしいひと
です。

Ashley just got home.
The judge is a just person.

1510 just

ひゃくしょくめがね まんげきょう	カンガルー	（ふねの）キール
1511 kaleidoscope	1512 kangaroo	1513 keel

いぬごや	とうもろこしの<u>つぶ</u>	やかん	かぎ
1514 kennel	1515 kernel	1516 kettle	1517 key

キックする、ける	こども	こやぎ	ゆうかいする
1518 to kick	1519 kid	1520 kid	1521 to kidnap

じんぞう	ころす	<u>かま</u>でやく	キログラム
1522 kidney	1523 to kill	1524 kiln	1525 kilogram

キロメートル	スコットランドの<u>キルト</u>	ドレスはようふくの <u>しゅるい</u>	<u>しんせつな、やさしい</u> おんなのこ
1526 kilometer/kilometre*	1527 kilt	1528 A dress is a kind of garment.	1529 kind girl

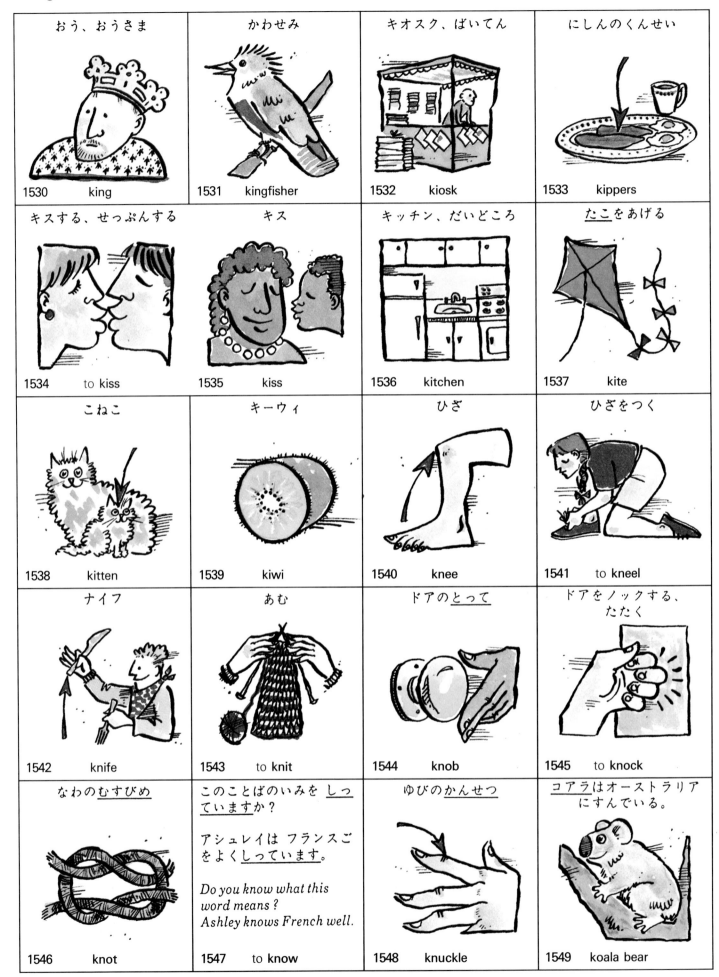

おう、おうさま	かわせみ	キオスク、ばいてん	にしんのくんせい
1530 king	1531 kingfisher	1532 kiosk	1533 kippers
キスする、せっぷんする	キス	キッチン、だいどころ	たこをあげる
1534 to kiss	1535 kiss	1536 kitchen	1537 kite
こねこ	キーウィ	ひざ	ひざをつく
1538 kitten	1539 kiwi	1540 knee	1541 to kneel
ナイフ	あむ	ドアのとって	ドアをノックする、たたく
1542 knife	1543 to knit	1544 knob	1545 to knock
なわのむすびめ	このことばのいみを しっていますか？ アシュレイは フランスご をよくしっています。 *Do you know what this word means ? Ashley knows French well.*	ゆびのかんせつ	コアラはオーストラリア にすんでいる。
1546 knot	1547 to know	1548 knuckle	1549 koala bear

	ラベル	ラボ、じっけんしつ	レースのえり
L	1550 label	1551 laboratory	1552 lace

はしご	ひしゃく	じょせい、ふじん	(くつの)ひもをむすぶ
1554 ladder	1555 ladle	1556 lady	1553 to lace

てんとうむし	レディフィンガー (おかしのなまえ)	(けものの)すみか	みずうみ
1557 ladybug/ladybird*	1558 ladyfingers	1559 lair	1560 lake

こひつじ	フロシーはびっこを ひいている	ランプ	がいとう
1561 lamb	1562 lame	1563 lamp	1564 lamp-post

やり	りく	ちゃくりくする	かいだんのおどりば
1565 lance	1566 land	1567 to land	1568 landing

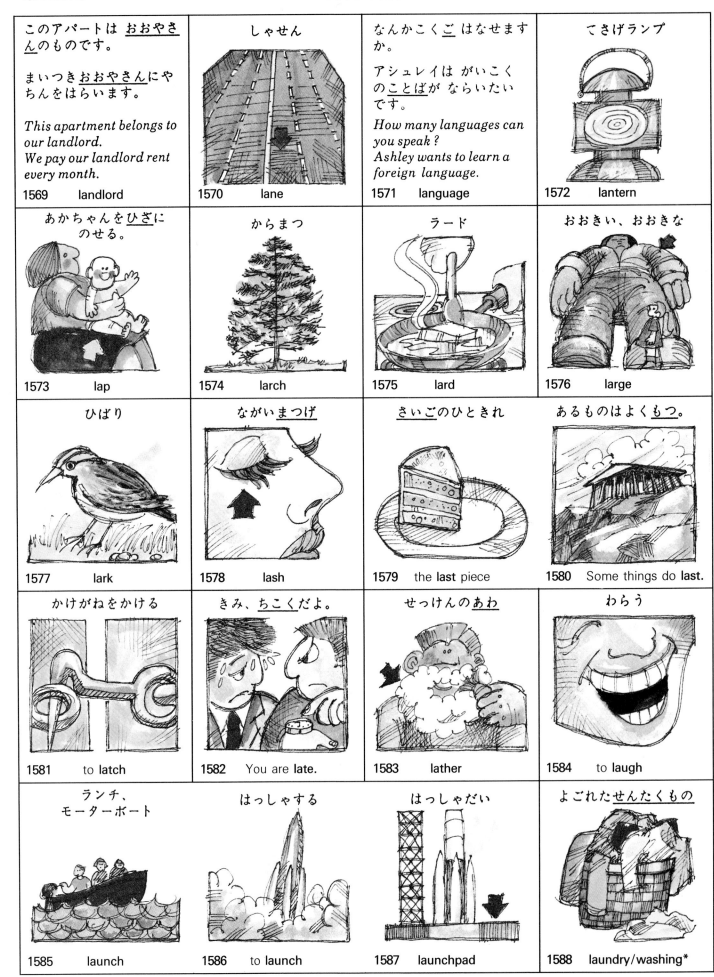

このアパートは おおやさんのものです。

まいつきおおやさんにやちんをはらいます。

This apartment belongs to our landlord.
We pay our landlord rent every month.

1569　　landlord

しゃせん

1570　　lane

なんかこくご はなせますか。

アシュレイは がいこくのことばが ならいたいです。

How many languages can you speak ?
Ashley wants to learn a foreign language.

1571　　language

てさげランプ

1572　　lantern

あかちゃんをひざにのせる。

1573　　lap

からまつ

1574　　larch

ラード

1575　　lard

おおきい、おおきな

1576　　large

ひばり

1577　　lark

ながいまつげ

1578　　lash

さいごのひときれ

1579　　the last piece

あるものはよくもつ。

1580　　Some things do last.

かけがねをかける

1581　　to latch

きみ、ちこくだよ。

1582　　You are late.

せっけんのあわ

1583　　lather

わらう

1584　　to laugh

ランチ、
モーターボート

1585　　launch

はっしゃする

1586　　to launch

はっしゃだい

1587　　launchpad

よごれたせんたくもの

1588　　laundry/washing*

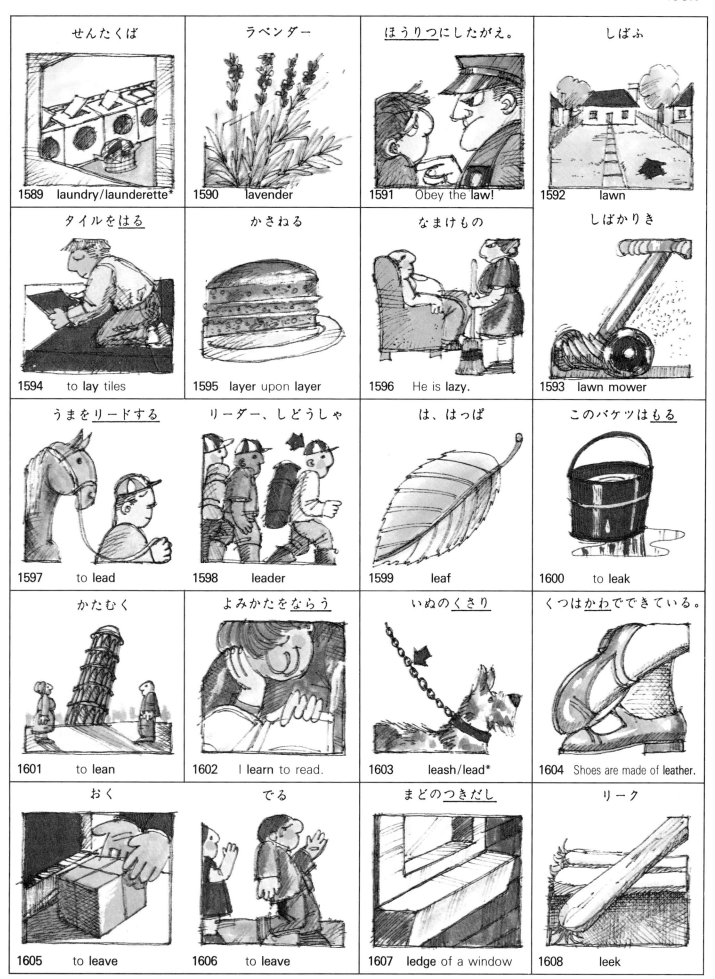

せんたくば
1589　laundry/launderette*

ラベンダー
1590　lavender

<u>ほうりつ</u>にしたがえ。
1591　Obey the law!

しばふ
1592　lawn

タイルを<u>はる</u>
1594　to lay tiles

かさねる
1595　layer upon layer

なまけもの
1596　He is lazy.

しばかりき
1593　lawn mower

うまを<u>リードする</u>
1597　to lead

リーダー、しどうしゃ
1598　leader

は、はっぱ
1599　leaf

このバケツは<u>もる</u>
1600　to leak

かたむく
1601　to lean

よみかたを<u>ならう</u>
1602　I learn to read.

いぬの<u>くさり</u>
1603　leash/lead*

くつは<u>かわ</u>でできている。
1604　Shoes are made of leather.

おく
1605　to leave

でる
1606　to leave

まどの<u>つきだし</u>
1607　ledge of a window

リーク
1608　leek

ひだり	ひだりきき	あし	でんせつ
1609 left	1610 He is left-handed.	1611 leg	1612 legend
レモン	レモネード	このほんを かして あげましょう。	レンズ
1613 lemon	1614 lemonade	1615 to lend	1616 lens
ひょう	レオタード	すくない	レッスン
1617 leopard	1618 leotard	1619 There is less here.	1620 lesson
はなして！	アルファベットのもじ	てがみをかく	レタス
1621 Let me go!	1622 letter of the alphabet	1623 letter	1624 lettuce
たいらなひょうめん	てこ、レバー	うそつき	としょかん、としょしつ
1625 level surface	1626 lever	1627 liar	1628 library

ナンバー・プレート	なめる	ふた	うそをつく
1629 licence plate/number plate*	1630 to lick	1631 lid	1632 to lie
じんせいは はじまった ところ。	きゅうめいボート	もちあげる	よこになる
1634 life	1635 lifeboat	1636 to lift	1633 to lie down
でんきをつける	ろうそくにひをつける	でんきゅう	にを かるくする
1637 light/table lamp*	1638 to light	1639 lightbulb	1640 She lightens the load.
とうだい	かみなり / ひらいしん		シャロンはねこがすき。
1641 lighthouse	1642 lightning / 1643 lightning rod		1644 to like
ソフィアはあした きそう もありません。 ありそうな はなしです。 *Sophia is not likely to come tomorrow.* *That is a likely story.* 1645 likely	ライラック 1646 lilac	ゆり 1647 lily	おおきなえだ 1648 limb

ライム
1649 lime

スピードせいげんは 50 キロです。

ジョーのしんせつには かぎりがありません。

The speed limit is 50 kilometers per hour. There is no limit to Joe's kindness.
1650 limit

びっこをひく
1651 to limp

まっすぐなせん
1652 line

リネン
1653 linen

ていきせん
1654 liner

うらあて
1655 lining

うでをくむ
1656 to link

せんいくず
1657 lint

ライオン
1658 lion

くちびる
1659 lips

くちべに
1660 lipstick

えきたい
1661 liquid

リスト
1662 list

みんなきいている。
1663 They are listening.

リットル
1664 liter/litre*

ちらかさないで!
1665 to litter

ちいさなりんご
1666 a little apple

アシュレイはまちにすんでいます。

つきにすむのは むずかしいでしょう。

Ashley lives in the city. It would be difficult to live on the moon.
1667 to live

げんきがいい、かっぱつ (な)
1668 lively

いま	とかげ	たいほうに<u>たまをこめる</u>	トラックに <u>にをつむ</u>
1669 living room/lounge*	1670 lizard	1671 to load	1672 to load
パン	コリンは アシュレイに おかねを<u>かしました</u>。 *Colin loaned money to Ashley.*	いせえび、ロブスター、	かぎをかける
1673 loaf	1674 to loan/lend*	1675 lobster	1676 to lock
きかんしゃ	いなご、ばった	やまごや、ロッジ	じょう
1678 locomotive	1679 locust	1680 lodge/chalet*	1677 lock
やねうら	まるた	ロリーポップ	さびしい
1681 loft	1682 log	1683 lollipop	1684 lonely
きりんのくびは<u>ながい</u>。	みる、ながめる	<u>はた</u>で スカーフをおる	なわの<u>わ</u>
1685 long	1686 to look	1687 loom	1688 loop

ゆるい

1689 loose

てぶくろを<u>なくす</u>

1690 to lose

ローション

1691 lotion

<u>おおきなおと</u>

1692 loud

かくせいき

1693 loudspeaker

やすむ、なまける

1694 to lounge

<u>あい</u>はすべてだと アシュ
レイは いいます。

*Ashley says that love is
everything.*

1695 love

あいする

1696 to love

うつくしい、すばらしい

1697 lovely

<u>ひくい</u>ところにあるえだ

1698 low branch

さげる

1699 to lower

おてんきがよくてほんと
うに<u>こううん</u>でした。

なんて<u>うん</u>がいいんで
しょう。

*We were really lucky to
have such nice weather.
How lucky you are!*

1700 lucky

にもつ

1701 luggage

<u>なまぬるいおゆ</u>

1702 lukewarm water

こもりうた

1703 lullaby

もくざい

1704 lumber/timber*

こぶ

1705 lump

ランチ、べんとう

1706 lunch

べんとうばこ

1707 lunchbox

はい

1708 lung

	ざっし	うじ	まほう
M	1709　magazine	1710　maggot	1711　magic

じしゃく	りっぱ（な）	むしめがね、かくだいきょう	てじなし
1713　magnet	1714　magnificent	1715　magnifying glass	1712　magician

かささぎ	ゆうびんでてがみをだす	ゆうびんはいたつ	つくる
1716　magpie	1717　to mail/post*	1718　mail carrier/postman*	1719　to make

（お）けしょう	おす	つち	だんせい、おとこのひと
1720　makeup	1721　male	1722　mallet	1723　man

みかん	マンドリン	たてがみ	マンゴー
1724　mandarin	1725　mandolin	1726　mane	1727　mango

れいぎただしい ぎょうぎがいい	たくさん	ちず	だいりせき
1728 He has good **manners.**	1729 many	1730 map	1731 marble

こうしんする	さんがつ	(めすの)うま	ビーだま
1733 to march	1734 March	1735 mare	1732 marbles

マリーゴールド	マークする、さいてんする	いい<u>てんすう</u>をもらう	マーケット
1736 marigold	1737 to mark	1738 mark	1739 market

けっこんする	ぬま、しっち	じゃがいもを<u>つぶす</u>	(お)めん
1740 to marry	1741 marsh	1742 to **mash** potatoes	1743 mask

しつりょう	マスト	マスターする、おぼえる	テニスの<u>しあい</u>
1744 mass	1745 mast	1746 to master	1747 match

マッチ  1748　match	さんすう、すうがく 2 +2 4 1749　mathematics	ゴーディはどうかしたんですか? なんでもないんですよ。 かなしそうにみえるだけです。 *What is the matter with Gordie?* *Nothing is the matter with him. He just looks sad.* 1750　matter	マットレス 1751　mattress
ごがつ 1752　May	たぶんアシュレイはいえにいるべきでしょう。 たぶんトムがしゅくだいをてつだってくれるでしょう。 *Maybe Ashley should stay home.* *Maybe Tom could help her do her homework.* 1753　maybe	しちょう 1754　mayor	めいろ 1755　maze
くさはら 1756　meadow	ひばり 1757　meadowlark	しょくじ 1758　meal	いじのわるいひと 1759　mean person
はしか 1760　measles	はかる 1　2　3　4　5　6 1761　to measure	にく 1762　meat	メカニック 1763　mechanic
メダル 1764　medal	くすり 1765　medicine	ちゅうぐらい(の) 1766　medium	ともだちにあう 1767　to meet

かい、かいぎ、かいごう
1768 meeting

メロン
1769 melon

こおりが <u>とける</u>
1770 to melt

クラブの <u>メンバー</u>は よにん。
1771 Our club has four members.

メニュー
1772 menu

てんこうに さゆうされる。

わるものは だれにも じょうをしめしません でした。

We are at the mercy of the weather.
The bandits showed no mercy to anyone.
1773 mercy

にんぎょ
1774 mermaid

<u>ようきなひと</u>
1775 merry

ほんとうに <u>めちゃくちゃ</u>
1776 a real mess

でんごん
1777 message

ししゃ
1778 messenger

<u>きんぞく</u>でできている
1779 metal

いんせき
1780 meteorite

メーター
1781 meter

1 <u>メートル</u>＝やく40インチ
1782 meter/metre*

アシュレイは はやく おぼえる <u>ほうほう</u>をしっ ています。

Ashley has a method to learn quickly.
1783 method

メトロノーム
1784 metronome

マイク
1785 microphone

けんびきょう
1786 microscope

でんしレンジ
1787 microwave oven

まひる、しょうご 1788　midday	まんなか 1789　in the middle	こびと 1790　midget	まよなか 1791　midnight
1マイルは 1.6キロメートルです。 *One mile equals 1.6 kilometers.* 1792　mile	ミルク、ぎゅうにゅう 1793　milk	せいふんじょ、 すいしゃごや 1794　mill	こころ、せいしん E=MC² 1795　mind
こうざん 1796　mine	こうふ 1797　miner	こうぶつ 1798　minerals	はや 1799　minnow
ミント 1800　mint	マイナス 7-5=2 1801　minus	いちじかんは ろく じゅっぷん。 1802　minute	きせき 1803　miracle
しんきろう 1804　mirage	かがみ 1805　mirror	けち、けちんぼ 1806　miser	かぞくが こいしい。 1807　to miss

ミサイル	きり、もや	やどりぎ	てぶくろ
1808 missile	1809 mist	1810 mistletoe	1811 mittens

まぜる、ミックスする	ミキサー	(お)ほり	まねる、ばかにする
1812 to mix	1813 mixer	1814 moat	1815 to mock

つぐみ	もけいひこうき	モダンないす	しめっている
1816 mockingbird	1817 model airplane/aeroplane*	1818 modern chair	1819 moist

| もぐら | ほくろ | ちょっと、しょうしょう | げつようびにはアシュレイは はやおきします。

On Mondays Ashley gets up early. |
|---|---|---|---|
| 1820 mole | 1821 mole | 1822 One moment please. | 1823 Monday |

おかね	さる	モンクフィッシュ	かいぶつ、モンスター
1824 money	1825 monkey	1826 monkfish	1827 monster

じゅうにかげつ	きねんひ	きげんがいい	きげんがわるい
1828 month	**1829** monument	**1830** He is in a good **mood.**	**1831** He is in a bad **mood.**
つき	ムース	あさ	にゅうばちとにゅうぼう
1832 moon	**1833** moose	**1834** morning	**1835** mortar and pestle
モザイク	か	こけ	ははおや、おかあさん
1836 mosaic	**1837** mosquito	**1838** moss	**1839** mother
モーター	オートバイ	ゼリーのかた	こやま
1840 motor	**1841** motorcycle	**1842** mould*/mold	**1843** mound
うまにのる	やま	はつかねずみ	くちひげ
1844 to mount	**1845** mountain	**1846** mouse	**1847** moustache*/mustache

くち	かたつむりはゆっくりうごく。	うんどう	えいがかん
1848 mouth	1849 to move	1850 movement	1851 movie/film*

しばをかる	わたしには おおすぎる	どろ	ろば
1852 to mow the lawn	1853 too much for me	1854 mud	1855 mule

かける、かけざんする	おたふくかぜ	ころす	きんにく
1856 multiply	1857 mumps	1858 to murder	1859 muscle

はくぶつかん	きのこ	おんがく	おんがくか
1860 museum	1861 mushroom	1862 music	1863 musician

ムールがい	とびこまなければいけない	からし	くちわ
1864 mussel	1865 You must jump.	1866 mustard	1867 muzzle

N

くぎ
1868　nail

つめ
1869　fingernail

つめきり
1870　nail clipper

はだか
1872　naked

なまえは ......。
1873　My name is...

ナプキン
1874　napkin/serviette*

くぎをうつ
1871　to nail

せますぎて とおれない
1875　too narrow to pass

くに
1876　nation

くだものには しぜんの とうぶんが ふくまれています。

Fruit contains natural sugar.

1877　natural

しぜんは うつくしい。
1878　nature

いたずら
1879　She is naughty.

そうじゅうする
1880　to navigate

ちかい
1881　near

きちんとした、かっこ (うの) いい
1882　neat

ひつよう
1883　Not pleasant, but necessary.

くび
1884　neck

ネックレス
1885　necklace

はなのみつ
1886　nectar

ネクタリン
1887 nectarine

さばくでは みずが なによりも ひつようです。

There is a great need for water in the desert.

1888 need

すいぶんが いる。
1889 I need water.

はり
1890 needle

むしする、あいてにしない
1891 He neglects his dog.

うまが いななく
1892 to neigh

となりのひと
1893 neighbors/neighbours*

どれもあわない
1894 neither one fits

ネオンサイン
1895 neon sign

おい
1896 My nephew is my brother's son.

しんけい
1897 nerve

ロンは しんけいしつだ。
1898 nervous

す
1899 nest

いらくさ
1900 nettle

ひあそびは ぜったいに しないこと。
1901 Never play with fire!

あたらしい
1902 new

このしんぶんにきょうのニュースがのっています。

いいニュースがありますよ。

This paper has today's news.
I have good news for you.

1903 news

しんぶん
1904 newspaper

つぎ どうぞ。
1905 Next !

くるみを すこしずつ かむ。
1906 to nibble

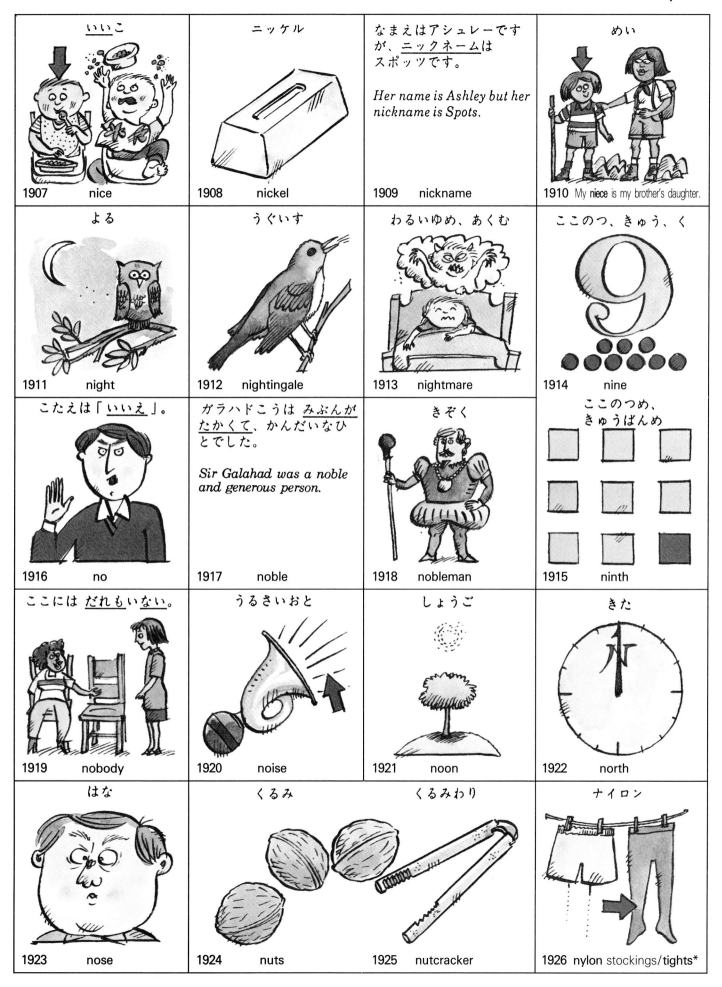

いいこ
1907　nice

ニッケル
1908　nickel

なまえはアシュレーですが、ニックネームはスポッツです。

Her name is Ashley but her nickname is Spots.

1909　nickname

めい
1910　My **niece** is my brother's daughter.

よる
1911　night

うぐいす
1912　nightingale

わるいゆめ、あくむ
1913　nightmare

ここのつ、きゅう、く
1914　nine

こたえは「いいえ」。
1916　no

ガラハドこうは みぶんが たかくて、かんだいなひとでした。

Sir Galahad was a noble and generous person.

1917　noble

きぞく
1918　nobleman

ここのつめ、きゅうばんめ
1915　ninth

ここには だれもいない。
1919　nobody

うるさいおと
1920　noise

しょうご
1921　noon

きた
1922　north

はな
1923　nose

くるみ
1924　nuts

くるみわり
1925　nutcracker

ナイロン
1926　nylon stockings/tights*

	かしのき	オール	オアシス
	1927　oak	1928　oar	1929　oasis

ちょうほうけい	かんさつする	たいかい、たいよう	はっかっけい
1930　oblong	1931　to observe	1932　ocean	1933　octagon

じゅうがつ	たこ	オドメーター	におい
1934　October	1935　octopus	1936　odometer/milometer*	1937　odor/odour*

でんきが きえています。

キャシーはコートを ぬぎます。

The light is off.
Cathy takes off her coat.

1938　off

かいたいと もうしでる

1939　to offer

しょうこう

1940　officer

ろくがつには あめが よくふります。

アシュレイは たびたび しつもんします。

It often rains in June.
Ashley often asks questions.

1941　often

あぶら	ぬりぐすり	としをとったひと、ろうじん	オリーブ
1942　oil	1943　ointment	1944　old	1945　olive

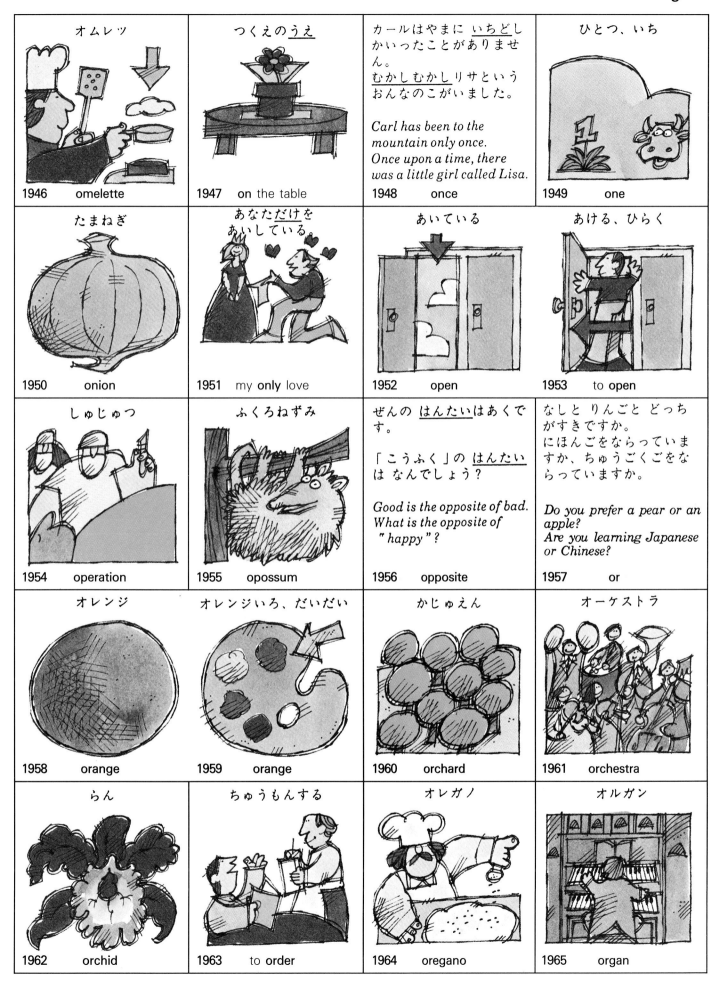

1946 omelette — オムレツ

1947 on the table — つくえのうえ

1948 once — カールはやまに いちどし かいったことがありません。 むかしむかし リサという おんなのこがいました。

Carl has been to the mountain only once. Once upon a time, there was a little girl called Lisa.

1949 one — ひとつ、いち

1950 onion — たまねぎ

1951 my only love — あなただけを あいしている。

1952 open — あいている

1953 to open — あける、ひらく

1954 operation — しゅじゅつ

1955 opossum — ふくろねずみ

1956 opposite — ぜんの はんたいはあくです。「こうふく」の はんたい は なんでしょう？

Good is the opposite of bad. What is the opposite of "happy"?

1957 or — なしと りんごと どっち がすきですか。にほんごをならっていま すか、ちゅうごくごをな らっていますか。

Do you prefer a pear or an apple? Are you learning Japanese or Chinese?

1958 orange — オレンジ

1959 orange — オレンジいろ、だいだい

1960 orchard — かじゅえん

1961 orchestra — オーケストラ

1962 orchid — らん

1963 to order — ちゅうもんする

1964 oregano — オレガノ

1965 organ — オルガン

うぐいす	こじ、みなしご	だちょう	かわうそ
1966 oriole	1967 orphan	1968 ostrich	1969 otter
1ポンドは 16オンス。	そと、やがい	いでたち、かっこう	だえんけい、たまごがた
1970 ounce	1971 outdoors	1972 outfit	1973 oval
オーブン	ひとがおちたぞ！	オーバー	あふれる
1974 oven	1975 Man overboard!	1976 overcoat	1977 to overflow
オーバーシューズ	ひっくりかえる	せんせいには けいいを ひょうすべきです。 しゃっきんは しないほう がいいです。 *You owe respect to your teacher.* *It is best not to owe any money.*	ふくろう
1978 overshoe	1979 to overturn	1980 to owe	1981 owl
このいえはわたしたちの もちいえです。 みずうみに コテージを もっています。 *We own our house.* *They own a cottage on a lake.*	（おすの）うし	さんそ	かき
1982 to own	1983 ox	1984 oxygen	1985 oyster

	カバンに <u>つめる</u> 1986 to pack	つつみ 1987 package	メモ<u>ようし</u> 1988 pad
かい、オール 1990 paddle	オールで <u>こぐ</u> 1991 to paddle	かぎ、じょう 1992 padlock	パット 1989 pad
ページ 1993 page	バケツ 1994 pail	ペンキ 1996 paint	ペンキ<u>ぬりたて</u> 1997 wet paint
いたみ 1995 pain	ペンキや 2000 painter	ペンキを<u>ぬる</u> 1998 to paint	ペンキようの<u>はけ</u> 1999 paintbrush
え 2001 painting	くつ<u>いっそく</u> 2002 a pair of shoes	きゅうでん 2003 palace	いろが<u>うすい</u> 2004 pale

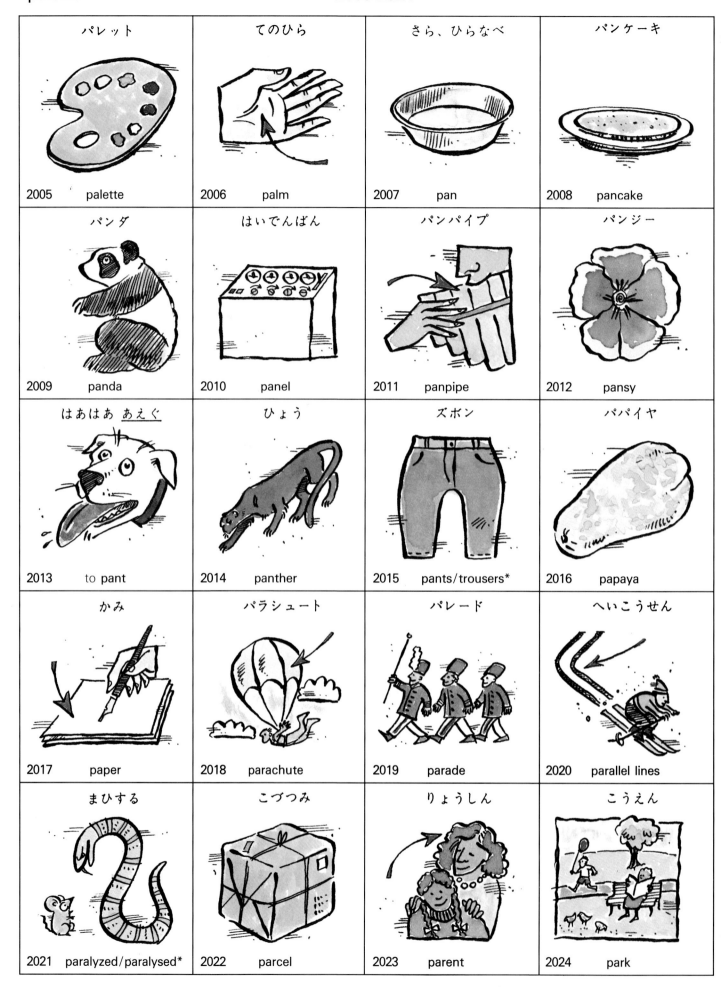

パレット	てのひら	さら、ひらなべ	パンケーキ
2005 palette	2006 palm	2007 pan	2008 pancake
パンダ	はいでんばん	パンパイプ	パンジー
2009 panda	2010 panel	2011 panpipe	2012 pansy
はあはあ あえぐ	ひょう	ズボン	パパイヤ
2013 to pant	2014 panther	2015 pants/trousers*	2016 papaya
かみ	パラシュート	パレード	へいこうせん
2017 paper	2018 parachute	2019 parade	2020 parallel lines
まひする	こづつみ	りょうしん	こうえん
2021 paralyzed/paralysed*	2022 parcel	2023 parent	2024 park

くるまを<u>とめる</u>、ちゅうしゃする **2025　to park**	パルカ **2026　parka**	ぎかい **2027　parliament**	おうむ **2028　parrot**
パセリ **2029　parsley**	パースニップ **2030　parsnip**	りゅうし **2031　particle**	パートナー **2032　partner**
パーティー **2033　party**	パスする **2034　to pass**	きを うしなう **2035　to pass out**	ろうか、つうろ **2036　passage**
じょうきゃく、せんきゃく **2037　passenger**	パスポート **2038　passport**	<u>むかし</u>は ひこうきもくるまもありませんでした。 はちじ ごふん <u>すぎ</u>です。 *In the past, there were no planes or cars.* *It is five past eight.* **2039　past**	パスタ **2040　pasta**
のりで <u>はる</u> **2041　to paste**	きばらし (にすること) **2042　pastime**	(こなを ねってつくった) <u>おかし</u> **2043　pastry**	ぼくじょう **2044　pasture**

つぎ	みち	がまんづよい	かんじゃ
2045　patch	2046　path	2047　She is patient.	2048　patient

パターン、げんけい		しゃどう	（いぬやねこの）あし、て

にほんごをよむとき てんのところで やすんでください。
やすまずに、きのところまで はしっていってこられますか。
When reading Japanese you pause at a comma. Can you run to that tree and back without a pause?

2049　pattern	2050　to pause	2051　pavement/road*	2052　paw

はらう	こうしゅうでんわ	へいわ	もも
2053　to pay	2054　pay phone/phone box*	2055　peace	2056　peach

くじゃく	ちょうじょう	なりひびくかねのおと	ピーナッツ
2057　peacock	2058　peak	2059　peal of a bell	2060　peanut

なし	しんじゅ	グリーンピース	みずごけ
2061　pear	2062　pearl	2063　peas	2064　peat moss

こいし 2065 pebbles	ピーカンのみ 2066 pecan	つっつく、ついばむ 2067 to peck	ペダル 2068 pedal
ほこうしゃ 2070 pedestrian	おうだんほどう 2071 pedestrian crossing	むく 2072 to peel	ペダルをふんではしる 2069 to pedal
ペリカン 2073 pelican	ペン 2074 pen	えんぴつ 2075 pencil	ふりこ 2076 pendulum
ペンギン 2077 penguin	こがたな 2078 penknife	ごかっけい 2079 pentagon	ひとびと 2080 people
こしょう 2081 pepper	はっか、ミント 2082 peppermint	すずき(のいっしゅ) 2083 perch	とまりぎ 2084 perch

えんそう	こうすい	ピリオド、しゅうしふ	つるにちにちそう、ピンカ
2085 performance	2086 perfume	2087 period/full stop*	2088 periwinkle

ひと	がいちゅう	こまらす、なやます	ペット
2089 person	2090 pest	2091 to pester	2092 pet

はなびら	ペチュニア	やくざいし	かわいがる
2094 petal	2095 petunia	2096 pharmacist/chemist*	2093 to pet

やっきょく	きじ	でんわ	しゃしん
2097 pharmacy/chemist's*	2098 pheasant	2099 phone	2100 photograph

ピアノ	えらぶ、とる	だきあげる	ピッケル
2101 piano	2102 to pick	2103 to pick up	2104 pickaxe

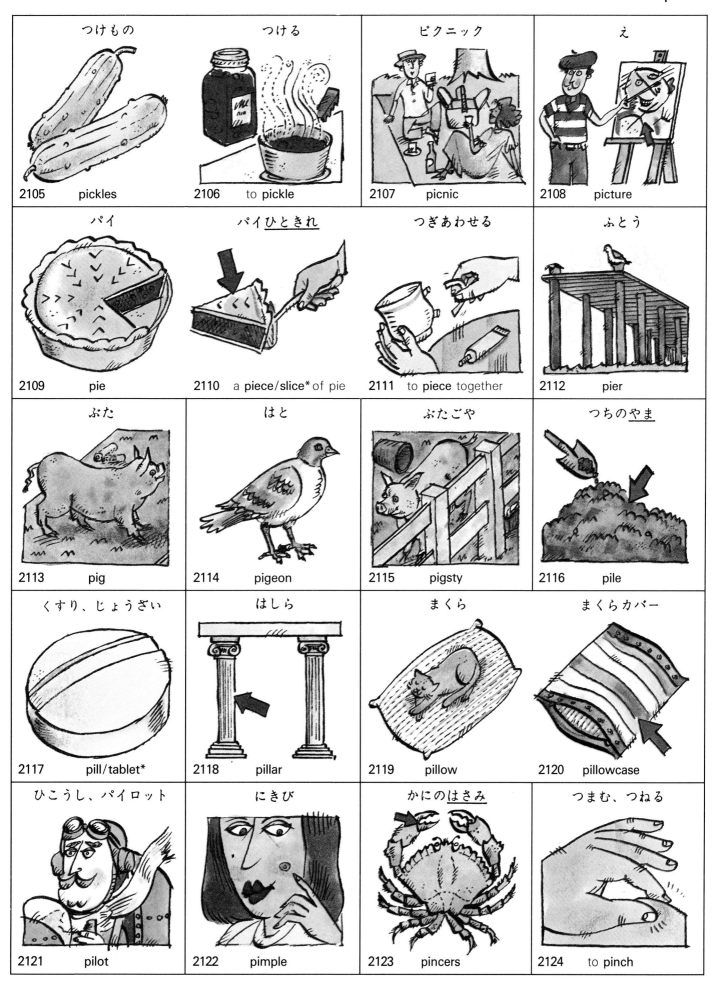

つけもの	つける	ピクニック	え
2105 pickles	2106 to pickle	2107 picnic	2108 picture
パイ	パイひときれ	つぎあわせる	ふとう
2109 pie	2110 a piece/slice* of pie	2111 to piece together	2112 pier
ぶた	はと	ぶたごや	つちのやま
2113 pig	2114 pigeon	2115 pigsty	2116 pile
くすり、じょうざい	はしら	まくら	まくらカバー
2117 pill/tablet*	2118 pillar	2119 pillow	2120 pillowcase
ひこうし、パイロット	にきび	かにのはさみ	つまむ、つねる
2121 pilot	2122 pimple	2123 pincers	2124 to pinch

まつ	パイナップル	ピンク	パイプ
2125 pine	2126 pineapple	2127 pink	2128 pipe
かいぞく	ピスタチオ	ピストル	なげる
2129 pirate	2130 pistachio	2131 pistol	2132 to pitch

アシュレイは こねこを なくしたおんなのこを かわいそうに おもっています。

Ashley pities the girl who lost her kitten.

2136 to pity

ピクニックに いいところ です。

かなづちは もとのばしょ に かえしてください。

It is a good place for a picnic.
Please return the hammer to its place.

2137 place

かれい
（ひらめのいっしゅ）

2138 plaice

マーブ、いいピッチだね。

このピアノはおとがはずれています。

Hey Merv, that was a good pitch !
This piano is off pitch.

2133 pitch

むじのシャツ	へいや、はらっぱ	けいかくする、	くまで
2139 plain shirt	2140 plain	2141 to plan	2134 pitchfork
かんな	わくせい	いた	コールタールピッチ
2142 plane	2143 planets	2144 plank	2135 pitch tar

しょくぶつ	うえる	プラスター	プラスターをぬる
2145　plants	2146　to plant	2147　plaster	2148　to plaster
プラスチック	ねんど	さら	こうげん、プラトー
2149　plastic	2150　plasticine	2151　plate	2152　plateau
ホーム	あそぶ　　　　　あそびば		トランプ
2153　platform	2154　to play　　2155　playground		2156　playing cards
たんがんする	きもちのいいひ	どうぞミルクをください	プリーツ、ひだ
2157　to plead	2158　a pleasant day	2159 A glass of milk, please.	2160　pleat
ペンチ	すき	むしる	さしこみ
2161　pliers	2162　plow/plough*	2163　to pluck	2164　plug

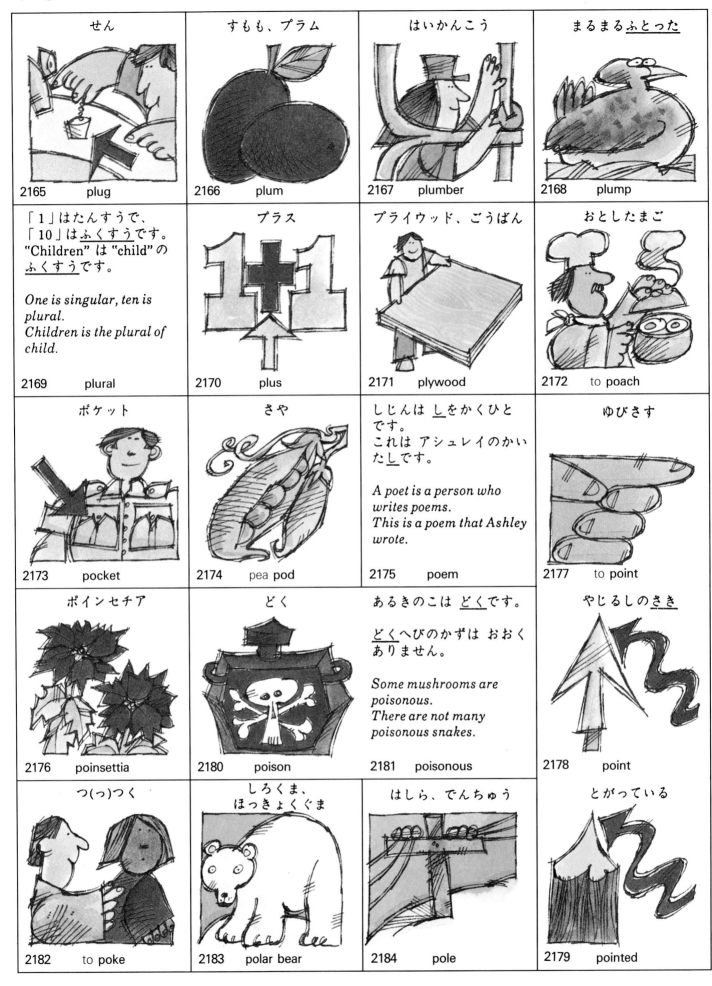

せん	すもも、プラム	はいかんこう	まるまるふとった
2165 plug	2166 plum	2167 plumber	2168 plump

「1」はたんすうで、「10」はふくすうです。
"Children" は "child" のふくすうです。

One is singular, ten is plural.
Children is the plural of child.

2169 plural

プラス
2170 plus

プライウッド、ごうばん
2171 plywood

おとしたまご
2172 to poach

ポケット
2173 pocket

さや
2174 pea pod

しじんは し をかくひとです。
これは アシュレイのかいた し です。

A poet is a person who writes poems.
This is a poem that Ashley wrote.

2175 poem

ゆびさす
2177 to point

ポインセチア
2176 poinsettia

どく
2180 poison

あるきのこは どく です。

どくへびのかずは おおくありません。

Some mushrooms are poisonous.
There are not many poisonous snakes.

2181 poisonous

やじるしのさき
2178 point

つ(っ)つく
2182 to poke

しろくま、ほっきょくぐま
2183 polar bear

はしら、でんちゅう
2184 pole

とがっている
2179 pointed

けいかん
2185 policeman

ふじんけいかん
2186 policewoman

みがく
2187 to polish

だれでも れいぎただしい こどもが すきです。

「はい」は「うん」より ていねいです。

Everybody likes polite children.
"Hai" is more polite than "un".
2188 polite

かふん
2189 pollen

さくろ
2190 pomegranate

いけ
2191 pond

ポーニー
2192 pony

プール
2193 pool

お金を プールする
2194 to pool

アシュレイのりょうしん は びんぼうではありません が、かねもちでもあり ません。

Ashley's parents are not poor, but they are not rich either.
2195 poor

ぽんと とびでる
2196 to pop

ポプラ
2197 poplar

けし、ポピー
2198 poppy

アシュレイは にんきもの です。

このほんは こどもに にんきが あります。

Ashley is a popular girl.
This book is popular among children.
2199 popular

ポーチ
2200 porch

けあな
2201 Pores are little holes in the skin.

ポリッジ
2202 porridge

みなと
2203 port

アシュレイは ポータブル ・ラジオ がほしいです。

ボブは ポータブルのコン ピュータをほしがってい ます。

Ashley wants a portable radio.
Bob wants a portable computer.
2204 portable

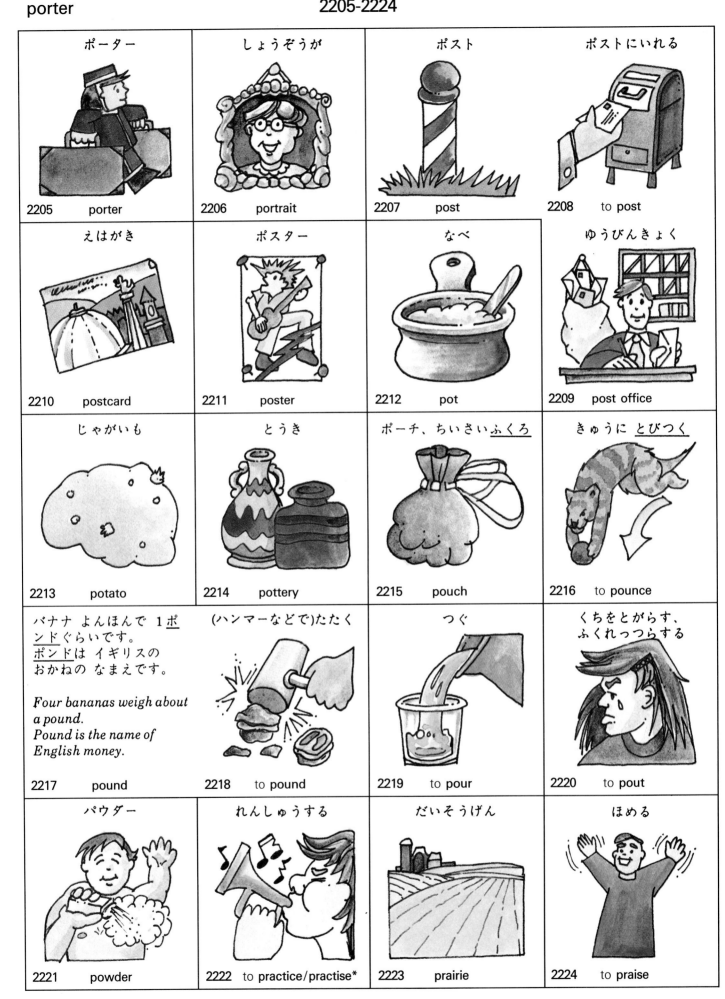

ポーター	しょうぞうが	ポスト	ポストにいれる
2205 porter	2206 portrait	2207 post	2208 to post

えはがき	ポスター	なべ	ゆうびんきょく
2210 postcard	2211 poster	2212 pot	2209 post office

じゃがいも	とうき	ポーチ、ちいさいふくろ	きゅうに とびつく
2213 potato	2214 pottery	2215 pouch	2216 to pounce

バナナ よんほんで 1ポ
ンド ぐらいです。
ポンド は イギリスの
おかねの なまえです。

Four bananas weigh about a pound.
Pound is the name of English money.

2217 pound	(ハンマーなどで)たたく 2218 to pound	つぐ 2219 to pour	くちをとがらす、 ふくれっつらする 2220 to pout

パウダー	れんしゅうする	だいそうげん	ほめる
2221 powder	2222 to practice/practise*	2223 prairie	2224 to praise

あとあしではねまわる	いのる	このほうがすきです。	にんしん している
2225 to prance	2226 to pray	2227 to prefer	2228 She is pregnant.
しゅっせき	おくりもの、プレゼント	トロフィーをわたす	くだもののさとうづけ
2229 I am present.	2230 birthday present	2231 to present	2232 preserved fruit
おす	きれいなドレス	えじき	ねだん
2233 to press	2234 pretty	2235 prey	2236 price
ちくりとさす	はりのあるどうぶつ	しょうがっこう	プリムラ
2237 to prick	2238 prickly animal	2239 primary school	2240 primrose
プリンス、おうじ、こうたいし	プリンセス、おうじょ、こうたいしひ	がっこうのこうちょう	げんそくとしては さんせいです。 げんそくの だいいちは いっしょうけんめいに はたらくことです。 In principle, I agree with you. The first principle is to work hard.
2241 prince	2242 princess	2243 school principal/Head teacher*	2244 principle

いんさつする

2245   to print

プリズム

2246   prism

ろうや、けいむしょ

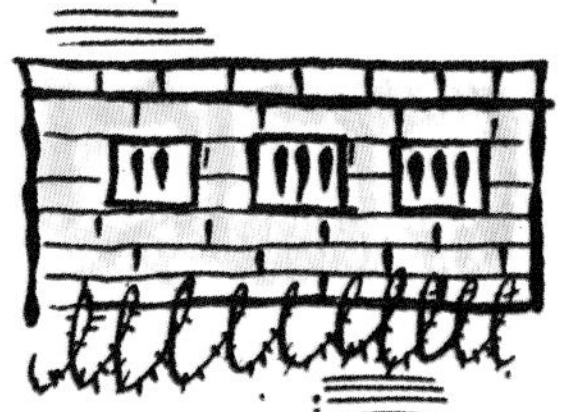

2247   prison

しゅうじん

2248   prisoner

トムは こじんレッスンを
うけています。

アシュレイは しりつがっ
こうに いっています。

Tom takes private lessons.
Ashley goes to a private
school.

2249   private

いっとうしょうをもらう

2250   prize

もんだい

2251   problem

のうさんぶつ、さくもつ

2252   produce

プログラム、ばんぐみ

2254   program/programme*

きんじられている

2255   prohibited

シャーレイは プロジェク
トの べんきょうをして
います。
それは りかのプロジェク
トです。

Shirley is working on a
project.
It is a science project.

2256   project

せいさんする、つくる

2253 This factory **produces** cars.

やくそくする

2257   I promise.

(フォークやくまでの)また

2258   prong

はつおんする

2259   to pronounce

しょうこ

2260   proof of guilt

ささえる

2261   to prop

プロペラ

2262   propeller

きちんとしたみなりを
している

2263   properly dressed

アシュレイのうちは
いなかに とちを もって
います。

ざいさんのあるひと。

Ashley's family owns
property in the country.
A man of property.

2264   property

こうぎする
2265　to protest

ほこる、ほこりたかい
2266　I am a proud cat.

しょうめいする
2267　to prove

これは ことわざです。
「さるも きから おちる。」

Here is a proverb;
"Even a genius can make a mistake."
2268　proverb

いすをよういする
2269　to provide chairs

プルーン
2270　prune

えだをおろす
2271　to prune

こうしゅうでんわ
2272　public telephone/phone box*

プリン
2273　pudding/afters*

みずたまり
2274　puddle

ぱっぱっとふく
2275　to puff

パフィン
2276　puffin

ひく、ひっぱる
2277　to pull

かっしゃ
2278　pulley

プルオーバー
2279　pullover/sweater*

みゃく
2280　pulse

ポンプ
2281　pump

ポンプでくうきをいれる
2282　to pump

かぼちゃ
2283　pumpkin

なぐる
2284　to punch

じかんをまもる	タイヤを<u>パンクさせる</u>	ばっする	ばつ
2285　You are **punctual**.	2286　to puncture	2287　to punish	2288　punishment

あやつりにんぎょう	こいぬ	よごれて(い)ない、きれい(な)	むらさきいろ
2289　puppet	2290　puppy	2291　pure water	2292　purple

ごろごろ<u>のどをならす</u>	さいふ、ハンドバッグ	おう、ついせきする	おす
2293　to purr	2294　purse/handbag*	2295　to pursue	2296　to push

<u>ここにおいて</u>ください。	かたづける	のばす、おくらせる あとまわしにする	パテ
2297　to put	2298　to put away	2299　to put off	2300　putty

パズル	パジャマ	ピラミッド	にしきへび
2301　puzzle	2302　pyjamas*/pajamas	2303　pyramid	2304　python

	うずら	しつのたかい、こうきゅう(な)	りょう
	2305　quail	2306　quality watch	2307　quantity
けんかする	いしきりば	よんぶんの いち	ふなつきば、はとば
2308　to quarrel	2309　quarry	2310　quarter	2311　quay
クイーン、じょうおう	しつもんする	はやい	うきずな、クイックサンド
2312　queen	2313　to ask a question	2314　quick	2315　quicksand
しずか(な)、おとなしい	はねペン	はりねずみのはり	はねぶとん
2316　She is quiet.	2317　quill	2318　porcupine quill	2319　quilt/eiderdown*
まるめろのみ	やづつ	ふるえる	きょう がっこうで かんじの しけんが ありました。 *At school we had a Kanji quiz today.*
2320　quince	2321　quiver	2322　to quiver	2323　quiz

R

うさぎ 2324 rabbit	ラクーン、あらいぐま 2325 raccoon	きょうそうする 2326 to race
ぼうしかけ 2327 rack/hat-stand*	おおさわぎ 2328 racket	ラジエーター 2329 radiator
ラディッシュ 2331 radish	はんけい 2332 radius	いかだ 2333 raft
てすり 2335 handrail/banister*	てつどうの せんろ 2336 railroad track/railway track*	あめが ふる 2337 to rain
レインコート 2339 raincoat		ほしぶどう 2341 raisin

ラジオ
2330 radio

ふいの しゅうげき
2334 a raid in progress

にじ
2338 rainbow

アシュレイは クラスで
よく てをあげます。
アシュレイはおもしろい
もんだいをだしました。

*Ashley often raises her
hand in class.
She has raised an
interesting question.*

2340 to raise

くまで
2342 rake

とをトントンたたく	はやい	めずらしい	ほっしん、はっしん
2343　to rap/knock*	2344　rapid	2345　rare	2346　rash

ラズベリー	ねずみ	がらがら	がらがらへび
2347　raspberry	2348　rat	2349　rattle	2350　rattlesnake

わたりがらす	がつがつ たべる	きょうこく、けいこく	なまたまご
2351　raven	2352　ravenous	2353　ravine	2354　a raw egg

たいようのこうせん	ひげそり、レーザー	とどく	よむ
2355　ray of sunlight	2356　razor	2357　to reach	2358　to read

いちについて、 ようい、ドン	ほんとう(の)、 ほんもの(の)	わかる	ほんとうに
2359　ready	2360　real	2361　to realize/realise*	2362　Are you really here?

うしろ  2363 rear	バックミラー 2364 rearview mirror	ろんじる 2365 to reason	むりを いってはいけません。 てごろな ねだんですね。 *Please be reasonable.* *That is a reasonable price.* 2366 reasonable
こくみんは たかいぜいきんに はんたいしています。 トムは ちちおやに はんこうして わるかったと おもっています。 *People do rebel against high taxes.* *Tom thinks he was wrong to rebel against his father.* 2367 to rebel	おもいだせない 2368 I do not **recall**.	もらう、うけとる 2369 to receive	さいきんかえったばかり 2370 **recently** hatched
レシピー 2371 recipe	あんしょうする 2372 to recite	レコード 2373 record	レコードプレーヤー 2374 record player
アシュレイのかぜは すぐ なおるでしょう。 そとに ちらかっていた ほんを もとにもどしました。 *Ashley may recover from her cold soon.* *I recovered all the books that were left outside.* 2375 to recover	ちょうほうけい 2376 rectangle	あか 2377 red	あし、よし 2378 reed
さす 2379 reef	いぶる 2380 to reek	リール、いとまき 2381 reel	レフェリー、しんぱんいん 2382 referee

はんしゃする、うつる	れいぞうこ	ことわる、きょひする	ちいき
2383 reflection	2384 refrigerator	2385 to refuse	2386 region
とうろくする	こうかいする	れんしゅうする	トナカイ
2387 to register	2388 to regret	2389 Actors rehearse a play.	2390 reindeer
たずな	しんせき、しんるい	リラックスする、のんびりする	はなす
2391 reins	2392 relatives	2393 to relax	2394 to release
おぼえている、わすれない	はなれじま	ぼうしをとる	アパートをかりています。 くるまをかりて、しまをぐるりとまわりました。 *We rent an apartment. We rented a car and went around the island.*
2395 Remember to brush your teeth.	2396 remote island	2397 to remove	2398 to rent
なおす、しゅうぜんする	くりかえす	とりかえる	こたえる
2399 to repair	2400 to repeat	2401 to replace	2402 to reply

はちゅうるい
2403 reptile

たすけだす
2404 to rescue

ちょすいち
2405 reservoir

だれの せきにん ですか。
アシュレイは せきにん かんのある おんなのこ です。

Who is responsible for this?
Ashley is a responsible girl.
2406 responsible

やすむ
2407 to rest

レストラン
2408 restaurant

アシュレイは としょかん のほんを いつも かえしま す。
ジョンはすぐ かえってく るでしょう。

Ashley always returns her library books.
John will return soon.
2409 to return

ぎゃく
2410 reverse

さい
2411 rhinoceros

ルーバーブ、だいおう
2412 rhubarb

えいごの しをかくとき いんを ふむことができます。

When you write a poem in English, you can make it rhyme.
2413 rhyme

ろっこつ、あばらぼね
2414 rib

リボン
2415 ribbon

ごはん
2416 rice

かねもちでもなく、びん ぼうでもありません。
かねもちは びんぼうにん をいつもたすけなければ ならない。

He is neither rich nor poor.
The rich must always help the poor.
2417 rich

なぞなぞ
2418 riddle

うまにのる
2419 to ride a horse

やまの おね
2420 ridge

みぎて
2421 my right hand

かどで みぎにまがってく ださい。
アシュレイは いつも じ ぶんが ただしいと おも っています。

Turn right at the next corner.
Ashley thinks she is always right.
2422 right

みぎきき	かわ	ゆびわ	ベルをならす
2423 right-handed	2424 rind	2425 ring	2426 to ring

アイスホッケーのリンク	ゆすぐ、すすぐ	ほうどう	さく
2427 rink	2428 to rinse	2429 riot	2430 to rip

じゅくしている	ちいさななみ、こなみ ささなみ	たいようが のぼる	きけんなことをするとき は いつもきをつけたほう がいいですよ。 あした しもの おそれがあ ります。 *Always be careful when taking risks.* *There will be a risk of frost tomorrow.*
2431 ripe	2432 ripple	2433 The sun rises.	2434 risk

ライバル	かわ	みち	ほえる
2435 rivals	2436 river	2437 road	2438 to roar

ロースト	ごうとう、おいはぎ	ロビン、こまどり	いわ
2439 roast	2440 robber	2441 robin	2442 rock

ゆする	ロケット	ゆりいす	さお、つりざお
2443　to rock	2444　rocket	2445　rocking chair	2446　rod

ロール	ころがる	ローラースケート	めんぼう
2447　roll	2448　to roll	2449　roller skate	2450　rolling pin

やね	へや	とまりぎに とまる	ね
2451　roof	2452　room	2453　to roost	2454　root

なわ、ロープ	ばら	ローズマリー	ばらいろ(の)
2455　rope	2456　rose	2457　rosemary	2458　rosy

くさったりんご	ざらざらする、あらっぽい	まるい	ならんだボタン
2459　rotten apple	2460　rough	2461　round	2462　4 buttons in a row

こぐ	おうしつ(の)	ゴム	がらくた

2463　to row	2464　royal	2465　rubber	2466　rubbish

ルビー	かじ	れいぎをしらない	けわしいとち
2467　ruby	2468　rudder	2469　He is rude.	2470　rugged terrain

むかしのしろのあと、いせき	アシュレイはいつもきそくをまもります。 このいえのきそくは りょうしんがつくります。 *Ashley always obeys the rules.* *The rules in this house are made by my parents.*	しはいしゃ、とうちしゃ	ガタゴトというおと
2471　ruin	2472　rule	2473　ruler	2474　I hear a rumble.

はしる	にげる	ひく	エネルギーがなくなる
2475　to run	2476　to run away	2477　to run over	2478　to run out of energy

いそいで かけていく	さび	わだち	ライむぎ
2479　to rush	2480　rust	2481　rut	2482　rye

	おおきなふくろ	しんせい(な)	かなしい
S	2483 sack	2484 Truth is a **sacred** principle.	2485 sad

くら	あんぜん(な)	ほ	ウィンドサーフィン
2486 saddle	2487 safe	2488 sail	2489 sailboard

セールボート、ほかけぶね	すいへい	サラダ	セール
2490 sailboat/sailing boat*	2491 sailor	2492 salad	2493 sale

さけ、しゃけ	しお	けいれいする	おなじ
2494 salmon	2495 salt	2496 to salute	2497 same

すな	サンダル	サンドイッチ	じゅえき
2498 sand	2499 sandal	2500 sandwich	2501 sap

いわし	えいせい	<u>サテン</u>のドレス	<u>どようび</u>は あそぶひ です。 アシュレイは <u>どようび</u> が だいすきです。 *Saturday is play day.* *Ashley likes Saturdays.*
2502 sardine	2503 satellite	2504 satin dress	2505 Saturday
ソース	ソーセージ	<u>おかねをためる</u>	のこぎり
2506 sauce/gravy*	2507 sausage	2508 I save my money.	2509 saw
おがくず	おもったとおりに<u>いう</u>	だい、やぐら	(のこぎりで) きる
2511 sawdust	2512 I say what I think.	2513 scaffolding	2510 to saw
やけどする	はかり	ほたてがい、かいばしら	あたまのかわ
2514 to scald	2515 scale	2516 scallop	2517 scalp
きず	おどかす	かかし	スカーフ
2518 scar	2519 to scare	2520 scarecrow	2521 scarf

まっか 2522 scarlet	はんざいげんば 2523 scene of a crime	けしき 2524 scenery	がくもん、 しょうがっきん 2525 scholarship
がっこう 2526 school	スクーナー 2527 schooner	はさみ 2528 scissors	スコップで すくう 2529 to scoop
スクーター 2530 scooter	こげたかみ 2531 scorched paper	とくてんする 2532 to score	ボーイスカウト 2533 scout
かみきれ 2534 scraps of paper	すりむき 2535 scrape	けずるどうぐ 2536 scraper	ひっかく 2537 scratch
スクリーン、 かなあみ、あみど 2538 screen	ねじ 2539 screw	ねじまわし 2540 screwdriver	ごしごしこする 2541 to scrub

ちょうこくか	たつのおとしご	アドリアかい、うみ	かもめ
2542 sculptor	**2543** seahorse	**2544** Adriatic sea	**2545** seagull
おっとせい	ぬいめ	さがす	サーチライト
2546 seal	**2547** seam	**2548** to search	**2549** searchlight
よっつのきせつは、はる なつ あき ふゆです。 *The four seasons are: spring, summer, autumn and winter.* **2550** seasons	させき **2551** seat	させきベルト、シートベルト **2552** seatbelt	かいそう **2553** seaweed
ふたつめ、にばんめ **2554** second	ひみつ **2555** I have a secret.	みる **2556** to see	シーソー **2557** see-saw
たね **2558** seed	しんだように みえる **2559** It seems to be dead.	つかまえる **2560** to seize	わがまま、りこてき **2561** You are selfish.

うる	はんえん	おくる	<u>びんかん</u>なひふ
2562 to **sell**	2563 **semicircle**	2564 to **send**	2565 **sensitive** skin

<u>ぶんしょう</u>が つくれますか。
どろぼうは けいむしょいきの<u>はんけつ</u>を うけました。

Can you make a sentence?
The robber received a
prison sentence.

2566 **sentence**	2567 **sentry**	2568 **September**	2569 to **serve**
しち、なな、ななつ	ななつめ、ななばんめ	いつつか むっつ、いくつか	ぬう
2570 **seven**	2571 **seventh**	2572 **several**	2573 to **sew**
ミシン	みすぼらしい	こや	かげ
2574 **sewing machine**	2575 **shabby**	2576 **shack**	2577 **shadow**
<u>けのふさふさした</u>	ふる	あさい	シャンプー
2578 **shaggy**	2579 to **shake**	2580 **shallow** water	2581 **shampoo**

わけあう	さめ	<u>シャープ</u>なナイフ	ナイフとぎ
2582 to share	2583 shark	2584 sharp	2585 knife sharpener
こなごなにこわす	ひげをそる	うえきばさみ	スケートシャープナー
2588 to shatter	2589 to shave	2590 shears	2586 skate sharpener
かたなの<u>さや</u>	ひつじ	シーツ	えんぴつけずり
2591 sheath	2592 sheep	2593 sheet	2587 pencil sharpener
たな	かい、かいがら	かくれば、ひなんじょ	ひつじかい
2594 shelf	2595 shell	2596 shelter	2597 shepherd
たて	むこうずね	かがやく、てる	いた、やねいた
2598 shield	2599 shin	2600 to shine	2601 shingle

シングルはびょうきの なまえ	ぴかぴかひかった	ふね	なんぱせん
2602　shingles	2603　shiny	2604　ship	2605　shipwreck
シャツ	ふるえる	ショック	くつ
2606　shirt	2607　to shiver	2608　shock	2609　shoes
くつひも	くつや	うつ、うちおとす	みせ
2610　shoelace	2611　shoemaker	2612　to shoot	2613　shop
みせのしゅじん、 てんしゅ	ショーウィンドー	かいがん、きし	せがひくい
2614　shopkeeper	2615　shop window	2616　shore	2617　short
ショートパンツ	かた	どなる	おす、おしのける
2618　shorts	2619　shoulder	2620　to shout	2621　to shove

シャベル	みせる	みせびらかす	やっと<u>あらわれた</u>。
2622 shovel	2623 to show	2624 to show off	2625 to show up/appear*
シャワー	さけぶ	えび	ちぢむ
2626 shower	2627 to shriek	2628 shrimp	2629 to shrink
かんぼく	まぜる、(トランプを)きる	シャッター、あまど	はずかしがり
2630 shrub	2631 shuffle	2632 shutters	2633 shy
びょうき	わき、そくめん	ほどう	ためいきをつく
2634 sick	2635 side	2636 sidewalk/pavement*	2637 to sigh
サイン	あいずする、しんごうをおくる	サイン	<u>しずかに</u>！
			アシュレイは<u>しずかに</u>していられません。
			Be silent. *It is difficult for Ashley to be silent.*
2638 sign	2639 to signal	2640 signature	2641 silent

まどの<u>しきい</u>
2642   sill

ジョンは アンが <u>ばか</u>だ と おもっています。 アンは ジョンが <u>ばかな</u> ことを すると おもいます。

John thinks Ann is silly. Ann thinks John does silly things.

2643   silly

ぎん
2644   silver

<u>かんたん</u>な かいけつほう ほうが あるはずです。 <u>シンプル</u>な デザインで いいですね。

There must be a simple solution.
It is a simple design. I like it.

2645   simple

うたう
2646   to sing

「一」は<u>たんすう</u>で、 「五」は<u>ふくすう</u>です。

"One" is singular and "five" is plural.

2647   singular

ながし
2648   sink

しずむ
2649   to sink

すする
2650   to sip

サイレン
2651   siren

いもうと
2652   sister

すわる
2653   to sit

ろく、むっつ
2654   six

ろくばんめ、むっつめ
2655   sixth

サイズ
2656   size

スケートする
2657   to skate

スケートボード
2658   skateboard

がいこつ
2659   skeleton

スケッチする
2660   to sketch

スキー
2661   skis

スキーする	よこにそれる、 よこすべりする	ひふ、はだ	スキップする、 とびはねる
2662 to ski	2663 to skid	2664 skin	2665 to skip
せんちょう	スカート	ずがいこつ	そら
2666 skipper/captain*	2667 skirt	2668 skull	2669 sky
ひばり	まてんろう、 こうそうビル	バタンと しめる	ななめ(の)、けいしゃした
2670 skylark	2671 skyscraper	2672 to slam	2673 slanting floor
ぴしゃりと たたく	ふかくきる、きりつける	スレート	そり
2674 to slap	2675 to slash	2676 slate	2677 sled/sleigh*
ねむる	スリーピング・バッグ	ねむい	みぞれ
2678 to sleep	2679 sleeping bag	2680 sleepy	2681 sleet

そで	すべりだい	ほっそりした	ぬるぬるした
2682 sleeve	2683 slide	2684 slim	2685 slimy

つりぼうたい	パチンコ	すべる	スリッパ
2686 sling	2687 slingshot/catapult*	2688 to slip	2689 slipper

つるつるした	ぶしょうもの、だらしのないひと	しゃめん、スロープ	スロット、とうにゅうぐち
2690 slippery	2691 slob	2692 slope	2693 slot

まえかがみになる	まがるとき くるまは<u>スピード</u>をおとします。 「<u>スピードをおとして</u>、おとうさん、はやすぎるよ。」 *The car slows down at the corner.* *"Slow down, Dad! You are going too fast."*	ゆきどけ、どろどろのゆき	ちいさい
2694 to slouch	2695 to slow down	2696 slush	2697 small

アシュレイは じぶんは とても<u>あたまがいい</u>とおもっています。 <u>かっこいい</u>ドレスですね。 *Ashley thinks she is very smart.* *That is a smart dress.*	こなごなにする	ぬる、なすりつける	はなの<u>においをかぐ</u>
2698 smart/clever*	2699 to smash	2700 to smear	2701 to smell

いやな においがする、あくしゅうを はなつ	たばこをすう	こおりのひょうめんは なめらか です。 ひこうきは スムーズに ちゃくりくしました。 *The ice is smooth.* *The plane has made a smooth landing.*	おやつをたべる
2702 smelly	2703 to smoke	2704 smooth	2705 to have a snack
かたつむり	へび	ポキッと おる	うんどうぐつ、スニーカー
2706 snail	2707 snake	2708 to snap	2709 sneakers/trainers*
くしゃみをする	スノーケル	ゆき	ゆきのけっしょう
2710 to sneeze	2711 snorkel	2712 snow	2713 snowflake
スノーシュー、かんじき	せっけん	サッカー	ソックス
2714 snowshoes	2715 soap	2716 soccer	2717 sock
ソケット	ソファー	ソフト(な)、やわらかい	へいたい
2718 socket	2719 sofa/couch*	2720 soft	2721 soldier

ひらめ	とく、かいけつする	ちゅうがえり	むすこ
2722 sole	**2723** She **solves** the problem.	**2724** to somersault	**2725** son
うた	すぐ くらくなります。 アシュレイは すぐ うち にかえってくるでしょう。 *Soon it will be dark.* *Ashley will be home soon.*	まじゅつし	うでがいたい。
2726 song	**2727** soon	**2728** sorcerer	**2729** My arm is **sore**.
ソレル、かたばみ	わるかったとおもう。	よりわける	スープ
2730 sorrel	**2731** sorry	**2732** to sort	**2733** soup
すっぱい	みなみ	（めす）ぶた	たねをまく
2734 sour	**2735** south	**2736** sow	**2737** to sow
スペースシップ、 うちゅうせん	くわ	たたく	よびのタイヤ
2738 spaceship	**2739** spade	**2740** to spank	**2741** spare tire/tyre*

ひばな	ひかる、きらめく	すずめ	はなす
2742 spark	2743 to sparkle	2744 sparrow	2745 to speak
やり	スピードをだす、いそぐ	つづる	つかう
2746 spear	2747 to speed up	2748 to spell	2749 to spend
きゅう	ぴりっとした、やくみのきいた	くも	スパイク
2750 sphere	2751 spicy	2752 spider	2753 spike
こぼす、こぼれる	まわる	ほうれんそう	せぼね
2754 to spill	2755 to spin	2756 spinach	2757 spine
らせんじょう(の)	とがったやね	つばを はく	はねかす
2758 spiral	2759 spire	2760 to spit	2761 to splash

きの はへん、こっぱ	くさった、いたんだ	スポンジ	いとまき
2762 splinter	2763 spoiled/rotten* fruit	2764 sponge	2765 spool/reel*
スプーン	しみ、よごれ	くち	くじく
2766 spoon	2767 spot	2768 spout	2769 to sprain
ふきかける	ぬる	スプリング	はる
2770 to spray	2771 to spread	2772 spring	2773 spring
ふりかける	（たんきょりを）ぜんそくりょくではしる	もみ	いずみ
2775 to sprinkle	2776 to sprint	2777 spruce	2774 spring
しかく	かぼちゃ	しゃがむ	だきしめる
2778 square	2779 squash	2780 to squat	2781 to squeeze

いか	りす	みずを ふきつける	うまや
2782　squid	2783　squirrel	2784　to squirt	2785　stable

ステージ、ぶたい	しみ	かいだん	くい
2786　stage	2787　stain	2788　staircase	2789　wooden stake

ふるい、<u>ぱさぱさのパン</u>より、やきたてのほかほかのパンのほうがずっといいです。

Freshly baked bread is much better than old stale bread.

2790　stale bread

セロリの<u>くき</u>	たねうま	きって
2791　celery stalk	2792　stallion	2793　stamp

たつ	ほし	じっとみる	むくどり
2794　to stand	2795　star	2796　to stare	2797　starling

スタートする		ガソリンスタンド	えき

アシュレイはいえにかえると いつも「<u>おなかがすいた</u>。」といいます。

When Ashley comes home, she always says,"I'm starving."

2798　to start a car　　2799　to starve　　2800　gas/petrol* station　　2801　train/railway* station

ぞう	うごかないで。	ステーキ	ぬすむ
2802　statue	2803　Stay there!	2804　steak	2805　to steal
ゆげ	はがね	きゅう(な)、けわしい	(お)うし
2806　steam	2807　Kinves are made of steel.	2808　steep	2809　steer/bullock*
くき	だん	ふみこむ	かじをとる、そうじゅうする
2811　stem	2812　step	2813　to step in	2810　to steer
シチュー	こえだ、ぼうきれ	そとにでる	べとべとした
2815　stew	2816　stick	2814　to step out	2817　sticky
このはブラシは <u>かたすぎ</u> ます。 メリーおばさんは かたが <u>こっています</u>。 *This toothbrush is too stiff.* *Aunt Mary has a stiff shoulder.* 2818　stiff	さす 2819　to sting	さすこと、さしきず 2820　sting	におう、あくしゅうをはなつ 2821　to stink

かきまわす	ストッキング	ひをおこす、ねんりょうをくべる	い
2822 to stir	2823 stockings	2824 to stoke	2825 stomach
いし	ふみだい、こしかけ	こしをまげる、かがむ	ストップ、ていし
2826 stone	2827 stool	2828 to stoop/bend down*	2829 stop
みせ	こうのとり	あらし	きしゃを<u>とめる</u>
2832 store/shop*	2833 stork	2834 storm	2830 He **stops** the train.
はなし、ものがたり	オーブン	まっすぐ	よる
2835 story	2836 stove/cooker*	2837 straight	2831 to stop over
こす	ひっぱる	ふしぎ(な)	しめころす
2838 to strain	2839 to strain	2840 strange	2841 to strangle

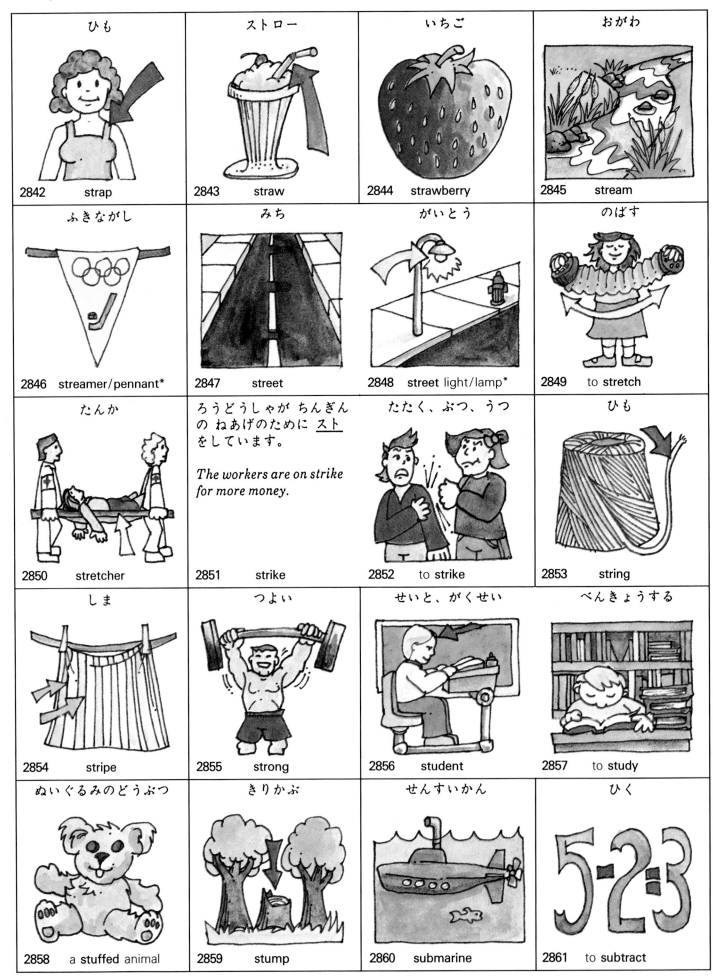

ひも	ストロー	いちご	おがわ
2842　strap	2843　straw	2844　strawberry	2845　stream

ふきながし	みち	がいとう	のばす
2846　streamer/pennant*	2847　street	2848　street light/lamp*	2849　to stretch

たんか	ろうどうしゃが ちんぎん の ねあげのために スト をしています。 *The workers are on strike for more money.*	たたく、ぶつ、うつ	ひも
2850　stretcher	2851　strike	2852　to strike	2853　string

しま	つよい	せいと、がくせい	べんきょうする
2854　stripe	2855　strong	2856　student	2857　to study

ぬいぐるみのどうぶつ	きりかぶ	せんすいかん	ひく
2858　a stuffed animal	2859　stump	2860　submarine	2861　to subtract

しゃぶる、すう	きゅうに あめが ふりは じめました。 パメラが とつぜん がっこうを やめました。 *Suddenly, it began to rain.* *Pamela left school* *suddenly.*	さとう	スーツ
2862 to suck	**2863** suddenly	**2864** sugar	**2865** suit
スーツケース	なつ	たいよう	にちようびには、おかあさんは ケーキをやきます。 *My mother bakes a cake on* *Sundays.*
2866 suitcase	**2867** summer	**2868** sun	**2869** Sunday
ひどけい	ひまわり	ひので	にちぼつ
2870 sundial	**2871** sunflower	**2872** sunrise	**2873** sunset
スーパー	ゆうしょく、ゆうごはん	あしたは きっと はれる でしょう。 そうすれば かならずかてます。 *I am sure tomorrow will be* *a sunny day.* *That is a sure way to win.*	ひょうめん
2874 supermarket	**2875** supper/dinner*	**2876** sure	**2877** surface
げかい	みょうじは ポターで、なまえは アシュレイです。 *My surname is Potter and* *my first name is Ashley.*	びっくりパーティー	こうさんする
2878 surgeon	**2879** surname	**2880** surprise party	**2881** to surrender

とりかこむ	づほんつり、サスペンダー	のみこむ	はくちょう
2882 to surround	2883 suspenders/braces*	2884 to swallow	2885 swan
とりかえる	はちのいち<u>ぐん</u>	あせをかく	セーター
2886 to swap	2887 swarm	2888 to sweat	2889 sweater/sweatshirt*
はく	あまい	それる、そらす	およぐ
2890 to sweep	2891 sweet	2892 to swerve	2893 to swim
ブランコ	ブランコに のる	スイッチ	でんきの <u>スイッチを いれて</u>ください。
2894 swing	2895 to swing	2896 switch	2897 to switch
とびかかる、おそう	かたな	すずかけ	シロップ
2898 to swoop	2899 sword	2900 sycamore	2901 syrup

でんきの <u>スイッチを</u> <u>いれて</u> ください。

よくみえるように、せき を<u>とりかえ</u>ましょうか。

Switch on the light, please.

Shall we switch seats so that you can see better?

テーブル

2902 table

テーブルクロス

2903 tablecloth

じょうざい

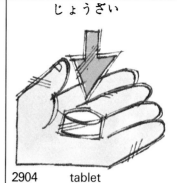

2904 tablet

びょう

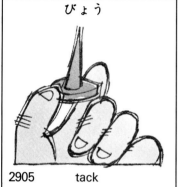

2905 tack

アシュレイはそのもんだいと とりくまなければなりません。
フットボールのしあいでポールがヘクターと とっくみあいをしました。

Ashley must tackle that problem.
Paul tackled Hector during the football game.

2906 to tackle

おたまじゃくし

2907 tadpole

しっぽ

2908 tail

もっていく

2910 to take

とりはずす

2911 to take apart

もちさる

2912 to take away

もちかえる

2913 to take back

ぼうしを とる

2914 to take off

とびたつ

2915 to take off

とりだす

2916 to take out

もちかえり

2917 take-out/take-away*

ようふくや、したてや

2909 tailor

はなし

2918 tale

アシュレイとリサは タレントショーにでます。
シルビアは おんがくのさいのうがあります。

Ashley and Lisa are in the talent show.
Sylvia has a great talent for music.

2919 talent

はなす、はなしあう

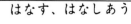

2920 to talk

せがたかい	タンバリン	なれた、おとなしい	ひやけ
2921 tall	2922 tambourine	2923 tame	2924 tan
みかん	もつれる	タンク	タンカー
2925 tangerine	2926 tangled	2927 tank	2928 tanker
すいどうのじゃぐち	テープ	テープではる	テープレコーダー
2929 tap	2930 tape	2931 to tape	2932 tape recorder
コールタール	まと	タラゴン	タルト
2933 tar	2934 target	2935 tarragon	2936 tart
じごと	あじわう	このタートはとても おいしいです。 *This tart is very tasty.*	タクシー
2937 task	2938 to taste	2939 tasty	2940 taxi

こうちゃ	おしえる	せんせい、きょうし	チーム
2941　a cup of **tea**	2942　to **teach**	2943　**teacher**	2944　**team**

ティーポット	なみだ	やぶく	はぎとる
2945　**teapot**	2946　**tear**	2947　to **tear**	2948　to **tear** out

でんぽう	でんわ	でんわする	ぼうえんきょう
2949　**telegram**	2950　**telephone**	2951　to **telephone**	2952　**telescope**

テレビ	いう、つたえる	グローバーは おこりっぽい です。 アシュレイは きぶんのあんていしたこです。 *Grover has a bad temper.* *Ashley has an even temper.*	おんど
2953　**television**	2954　to **tell**	2955　**temper**	2956　**temperature**

とう、じゅう	テニス	テニスシューズ	テント
2957　**ten** apples	2958　**tennis** racquet and ball	2959　**tennis** shoe	2960　**tent**

じゅうばんめ	ターミナル、たんまつ	テストする	かんしゃする
2961 tenth	2962 terminal	2963 to **test** the water	2964 to thank

こおりが とける	げきじょう	そこ	おんどけい
2965 to thaw	2966 theater/theatre*	2967 there	2968 thermometer

ふとい	どろぼう	もも、また	ゆびぬき
2969 thick	2970 thief	2971 thigh	2972 thimble

ほそい	ひとは もの では ありません。 アシュレイは おかしな こと をよくいいます。 *A person is not a thing. Ashley often says funny things.*	かんがえる	みっつめ、さんばんめ
2973 thin	2974 thing	2975 to think	2976 third

のどが かわいている	あざみ	とげ	いと
2977 thirsty	2978 thistle	2979 thorn	2980 thread

いとをとおす
2981   to thread

みっつ、さん
2982   three

しきい
2983   threshold

のど
2984   throat

クィーンのぎょくざ、おうざ
2985   throne

なげる
2986   to throw

もどす、あげる、はく
2987 to throw up/be sick*

おやゆび
2988   thumb

かみなり
2989   thunder

らいう
2990   thunderstorm

もくようびに アシュレイ
は すいえいのクラスに
いきます。

*Ashley goes to swimming
class on Thursday.*

2991   Thursday

タイム
2992   thyme

きっぷ
2993   ticket

くすぐる
2994   to tickle

きちんとしている
2995   tidy

ネクタイ
2996   tie

とら
2998   tiger

しめる
2999   to tighten

タイル
3000   tiles

むすぶ
2997   to tie

かたむく

3001   to tilt

じかんは なんじですか。

3002   What time is it?

ちいさな、ちっちゃな

3003   tiny

ひっくりかえる

3004   to tip

つまさきで あるく

3006   tiptoe

タイヤ

3007   tire/tyre*

つかれている

3008   tired

チップを あげる

3005   to tip

がまがえる

3009   toad

トースト

3010   toast

トースター

3011   toaster

がっこうは きょうから はじまります。

きょうは ははのひです。

School starts today.
Today is Mother's Day.

3012   today

あしのゆび

3013   toes

いっしょにすわっている

3014   We are sitting together.

トイレ

3015   toilet

トマト

3016   tomato

はか

3017   tomb

あしたは ちちのひです。

アシュレイは あしたはくぶつかんに きょうりゅうを みにいきます。

Tomorrow is Father's Day.
Ashley is going to see dinosaurs at the museum tomorrow.

3018   tomorrow

トング

3019   tongs

した

3020   tongue

トン	へんとうせん	どうぐ	は
3021 It weighs a **ton**.	3022 **tonsils**	3023 **tools**	3024 **tooth**
はが いたい	はブラシ	はみがき	てっぺん、いちばんうえ
3025 **toothache**	3026 **toothbrush**	3027 **toothpaste**	3028 **top**
ひっくりかえる	トーチ	たつまき	こま
3030 to **topple**	3031 **torch**	3032 **tornado**	3029 **top**
げきりゅう、きゅうりゅう	かめ	なげる	さわる
3033 **torrent**	3034 **tortoise**	3035 to **toss**	3036 to **touch**
タフ(な)、つよい、たくましい	ひっぱる	タオル	とう
3037 I am **tough**.	3038 to **tow**	3039 **towel**	3040 **tower**

まち	おもちゃ	なぞる	せんろ
3041 town	3042 toys	3043 to trace	3044 track

トラクター	こうかんする	こうつう	しんごう
3045 tractor	3046 to trade	3047 traffic	3048 traffic light

とおったあと	トレーラー	きしゃ、れっしゃ	トレーニングする
3049 trail	3050 trailer	3051 train	3052 to train

ふろうしゃ	ふみつける	トランポリン	とうめい(な)、すきとおった
3053 tramp	3054 to trample	3055 trampoline	3056 transparent

はこぶ、うんぱんする	うんぱんしゃ	わな	トラピーズ
3057 to transport	3058 transporter/lorry*	3059 trap	3060 trapeze

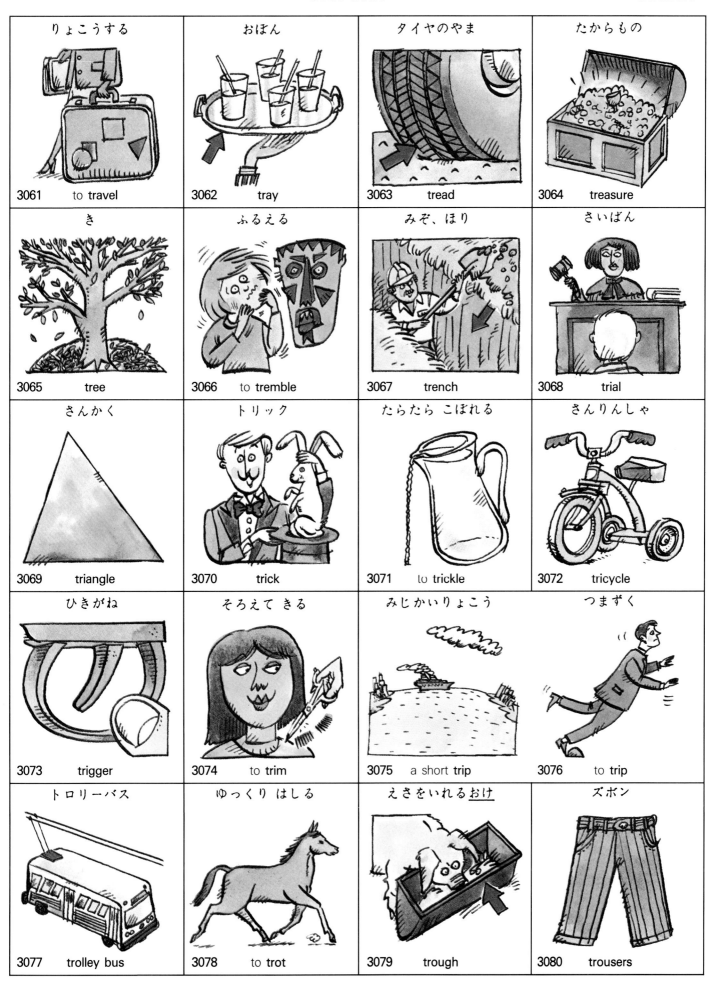

りょこうする	おぼん	タイヤのやま	たからもの
3061 to travel	3062 tray	3063 tread	3064 treasure
き	ふるえる	みぞ、ほり	さいばん
3065 tree	3066 to tremble	3067 trench	3068 trial
さんかく	トリック	たらたら こぼれる	さんりんしゃ
3069 triangle	3070 trick	3071 to trickle	3072 tricycle
ひきがね	そろえて きる	みじかいりょこう	つまずく
3073 trigger	3074 to trim	3075 a short trip	3076 to trip
トロリーバス	ゆっくり はしる	えさをいれるおけ	ズボン
3077 trolley bus	3078 to trot	3079 trough	3080 trousers

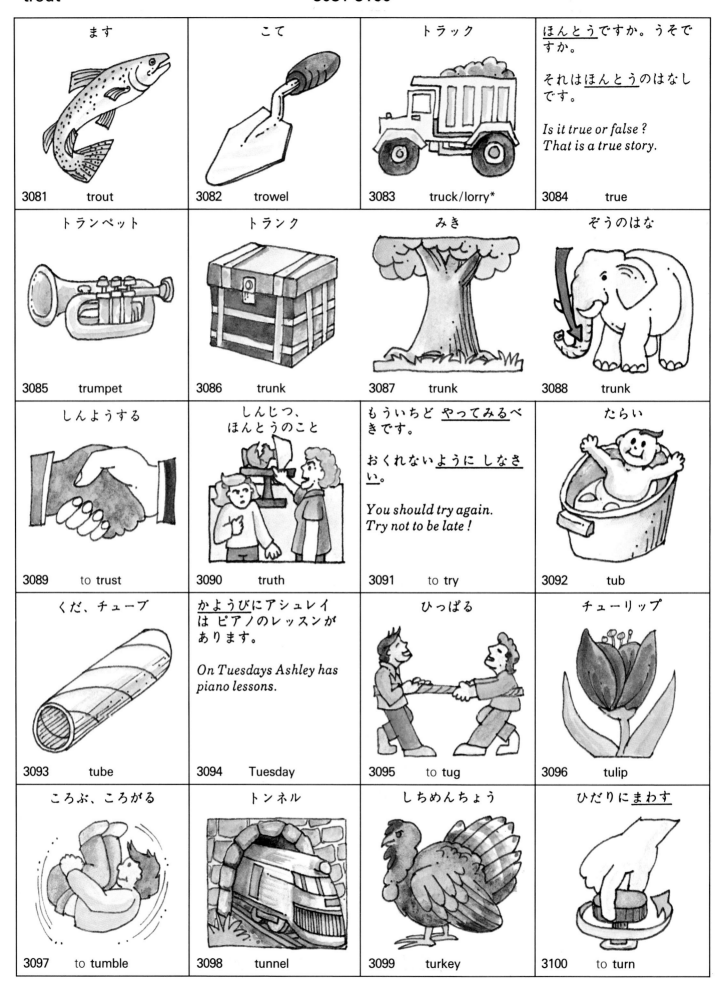

ます	こて	トラック	ほんとうですか。うそですか。 それはほんとうのはなしです。 *Is it true or false ?* *That is a true story.*
3081 trout	3082 trowel	3083 truck/lorry*	3084 true
トランペット	トランク	みき	ぞうのはな
3085 trumpet	3086 trunk	3087 trunk	3088 trunk
しんようする	しんじつ、ほんとうのこと	もういちど やってみるべきです。 おくれないように しなさい。 *You should try again.* *Try not to be late !*	たらい
3089 to trust	3090 truth	3091 to try	3092 tub
くだ、チューブ	かようびにアシュレイは ピアノのレッスンが あります。 *On Tuesdays Ashley has* *piano lessons.*	ひっぱる	チューリップ
3093 tube	3094 Tuesday	3095 to tug	3096 tulip
ころぶ、ころがる	トンネル	しちめんちょう	ひだりにまわす
3097 to tumble	3098 tunnel	3099 turkey	3100 to turn

けす
3101   to turn off

つける
3102   to turn on

ジョンは いいせいねんに
なりました。

きっと うまくいく でしょ
う。

*John turned out to be a fine
young man.*
*I am sure things will turn
out alright.*
3103   to turn out

ひっくりかえす
3104   to turn over

かぶ
3105   turnip

ターンテーブル
3106   turntable

トルコいしのいろ、
そらいろ
3107   turquoise

ちいさなとう
3108   turret

うみがめ
3109   turtle

きば
3110   tusk

けぬき
3111   tweezers

アシュレイは にど どう
ぶつえんに いったことが
あります。
トムは ぼくの にばいも
ほんを もっています。

*Ashley has been to the zoo
twice.*
*Tom has twice as many
books as me.*
3112   twice

こえだ
3113   twig

ふたご
3114   twins

ほしがきらきらひかる
3115   Stars twinkle.

くるくるまわす
3116   to twirl

ねじる、よる
3117   to twist

ふたつ、に
3118   two

タイプする
3119   to type

タイプライター
3120   typewriter

みにくい
3121 ugly

かさ
3122 umbrella

トムおじさんは おかあさんの おにいさんです。

もうひとりのおじさんは おとうさんの おとうとです。

Uncle Tom is my mother's elder brother.
My other uncle is my father's younger brother.
3123 uncle

アシュレイは テーブルの したに かくれています。

ごさいいかのこどもは いかれません。

Ashley is hiding under the table.
Children under 5 cannot go.
3124 under

わかる、りかいする
3125 to understand

したぎ
3126 underwear

ぬぐ
3127 to undress

かなしい、ふこう(な)
3128 unhappy

ユニコーン
3129 unicorn

ユニフォーム
3130 uniform

だいがく
3131 university

にをおろす
3132 to unload

かぎをはずす
3133 to unlock

つつみをあける
3134 to unwrap

まっすぐ
3135 upright

さかさま
3136 upside-down

つかう
3137 to use

つかいきる
3138 to use up

やくにたつ ナイフ
3139 useful

	きゅうか、やすみ	じょうき	ニスをぬる
	3140 vacation/holiday*	3141 vapor/vapour*	3142 to varnish

かびん	こうしのにく	やさい	のりもの
3143 vase	3144 veal	3145 vegetable	3146 vehicle

ベール	けっかん	ベノムは どくへびのどく です。 *Venom is the poison of a poisonous snake.*	すいちょく(の)、たて(の)
3147 veil	3148 vein	3149 venom	3150 vertical

スポットは とてもいい いぬです。 アシュレイは カールが たいへんあたまがいいと おもいます。 *Spot is a very nice dog.* *Ashley thinks Carl is very clever.*	ベスト、チョッキ	じゅうい	ぎせいしゃ
3151 very	3152 vest/waistcoat*	3153 veterinarian/veterinary surgeon*	3154 victim

ビデオ	ビデオのテープ	やまのうえのけしきは すばらしかったです。 ひとりひとり もののみかたが ちがいます。 *What a wonderful view from the top of the mountain !* *We each have our own point of view.*	むら
3155 video recorder	3156 video tape	3157 view	3158 village

わるもの	つる	す	すみれ
3159 villain	3160 vine	3161 vinegar	3162 violet

バイオリン	ビザ、さしょう	こんやは くもが おおくて ほしが ほとんど みえません。 *There are many clouds tonight and the stars are barely visible.*	ほうもんする、たずねる
3163 violin	3164 visa	3165 visible	3166 to visit

バイザー	このじしょは ごいをふやすのに やくだちます。 *This dictionary helps increase your vocabulary.*	こえ	かざん
3167 visor	3168 vocabulary	3169 voice	3170 volcano

バレーボール	ボランティア	はく、もどす	とうひょうする
3171 volleyball	3172 volunteer	3173 to vomit	3174 to vote

ゆうけんしゃ	A,E,I,O,U は えいごの ぼいんです。 *A,E,I,O,U are vowels in English.*	こうかい	はげたか
3175 voter	3176 vowel	3177 voyage	3178 vulture

あさいプール	ワッフル	ワゴン
3179 to wade	3180 waffle	3181 wagon/cart*

なきさけぶ	ウエスト	まつ	おこす
3182 to wail	3183 waist	3184 to wait	3185 to wake

あるく	かべ	さいふ	くるみ
3186 to walk	3187 wall	3188 wallet	3189 walnut

せいうち	まほうつかいの<u>つえ</u>	ほうろうする、さまよう	ケーキが もっと<u>ほしい</u>ひとは（だれですか）？ おかあさんは アシュレイに おさらあらいをてつだって<u>もらいたい</u>のです。 *Who wants more cake ? Mother wants Ashley to help wash the dishes.*
3190 walrus	3191 wand	3192 to wander	3193 to want

せんそう	いしょう	そうこ	あたたかい
3194 war	3195 wardrobe	3196 warehouse	3197 warm

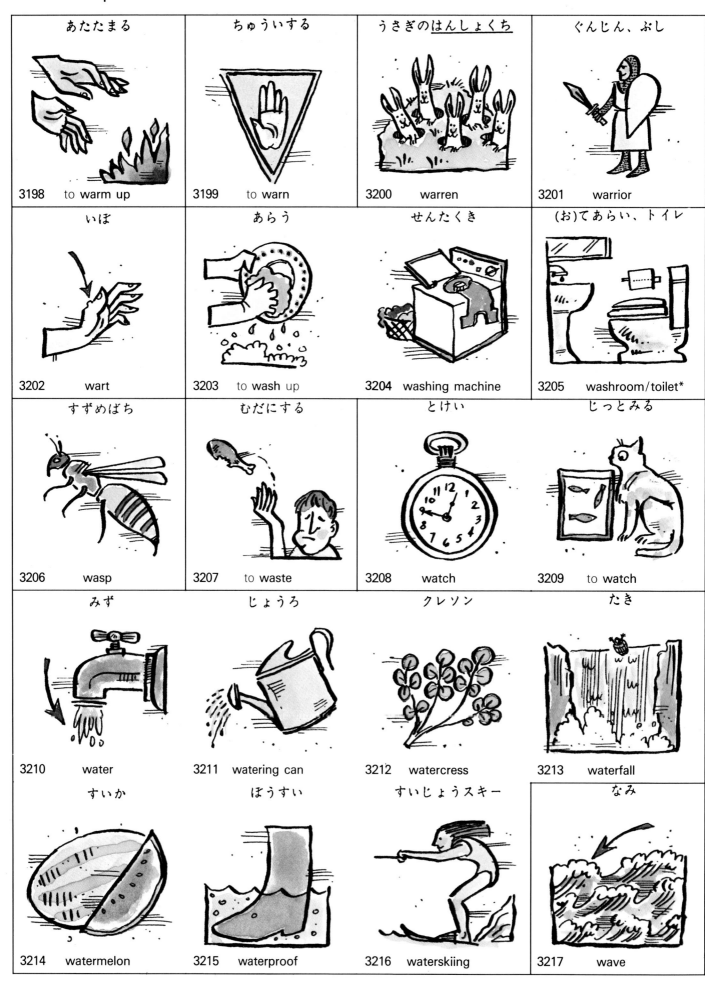

あたたまる	ちゅういする	うさぎのはんしょくち	ぐんじん、ぶし
3198　to warm up	3199　to warn	3200　warren	3201　warrior

いぼ	あらう	せんたくき	(お)てあらい、トイレ
3202　wart	3203　to wash up	3204　washing machine	3205　washroom/toilet*

すずめばち	むだにする	とけい	じっとみる
3206　wasp	3207　to waste	3208　watch	3209　to watch

みず	じょうろ	クレソン	たき
3210　water	3211　watering can	3212　watercress	3213　waterfall

すいか	ぼうすい	すいじょうスキー	なみ
3214　watermelon	3215　waterproof	3216　waterskiing	3217　wave

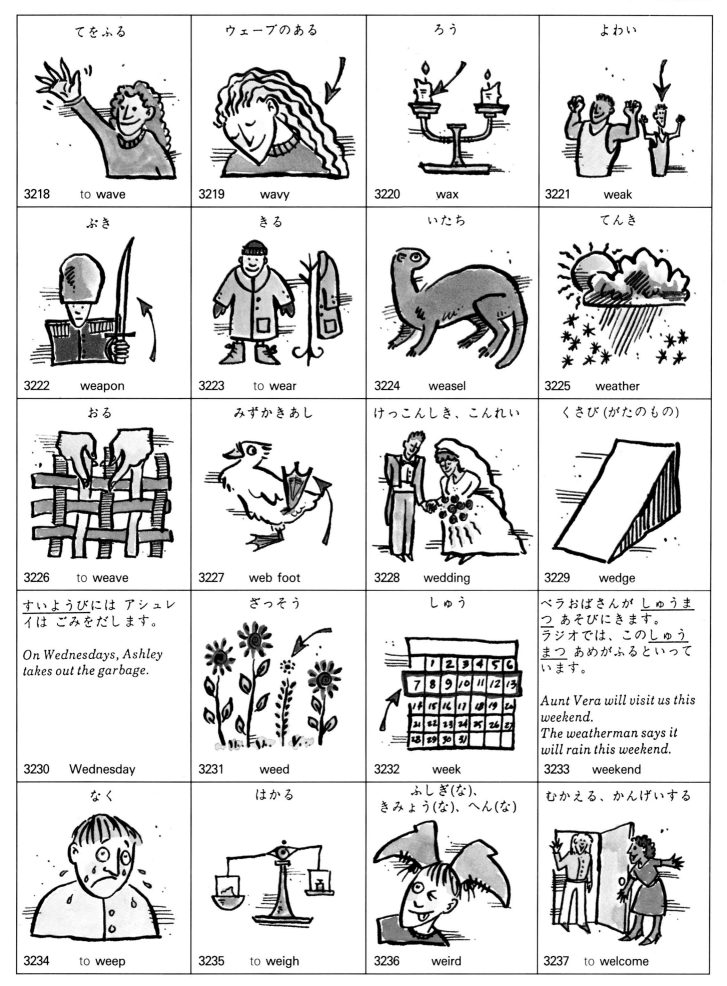

てをふる
3218 to wave

ウェーブのある
3219 wavy

ろう
3220 wax

よわい
3221 weak

ぶき
3222 weapon

きる
3223 to wear

いたち
3224 weasel

てんき
3225 weather

おる
3226 to weave

みずかきあし
3227 web foot

けっこんしき、こんれい
3228 wedding

くさび(がたのもの)
3229 wedge

すいようびには アシュレイは ごみをだします。

On Wednesdays, Ashley takes out the garbage.

3230 Wednesday

ざっそう
3231 weed

しゅう
3232 week

ベラおばさんが しゅうまつ あそびにきます。
ラジオでは、この しゅうまつ あめがふるといっています。

Aunt Vera will visit us this weekend.
The weatherman says it will rain this weekend.

3233 weekend

なく
3234 to weep

はかる
3235 to weigh

ふしぎ(な)、
きみょう(な)、へん(な)
3236 weird

むかえる、かんげいする
3237 to welcome

いど
3238   well

げんき
3239   I feel well.

にし
3240   west

ぬれている
3241   wet

くじら
3243   whale

はとば
3244   wharf

ねこを どうしたんです
か?
あさごはんになにをたべ
ますか。

*What did you do to your
cat ?*
*What are you going to have
for breakfast ?*

3245   what

ぬらす
3242   to wet

むぎ
3246   wheat

しゃりん
3247   wheel

いちりんしゃ
3248   wheelbarrow

くるまいす
3249   wheelchair

いつ ベロおばさんは
きますか。

おたんじょうびは いつで
すか。

*When is Aunt Vera
coming ?*
When is your birthday ?

3250   when

どこで うまれましたか。

ねこがまいごになって
どこにいるか わかりま
せん。

Where were you born ?
*Our cat is lost and we have
no idea where she is.*

3251   where

どれ
3252   which one

めそめそする
3253   to whine

むち
3254   whip

よたか
3255   whippoorwill

あわたてき
3256   whisk

ほおひげ
3257   whisker

ささやく	ふえ	くちぶえを ふく	しろ

3258 to whisper	3259 whistle	3260 to whistle	3261 white

だれが きますか。	どうしてか しりたいです。 どうして アシュレイは おぼえられないのですか。 *I want to know why. Why can Ashley not remember?*	ろうそくのしん	わるい
3262 Who is going?	3263 why	3264 wick	3265 wicked

はばが ひろい	(きみの) おくさん、 (ぼくの) かない	やせいのどうぶつ	やなぎ
3266 wide	3267 wife	3268 The lion is a wild animal.	3269 willow

しおれる	ずるい	かつ、ゆうしょうする	ちぢみあがる、すくむ
3270 to wilt	3271 wily	3272 to win	3273 to wince

かぜ	まく	ウィンドブレーカー	ふうしゃ
3274 wind	3275 to wind	3276 windbreaker	3277 windmill

まど	フロントガラス	ワイン、ぶどうしゅ	はね、つばさ
3278　window	3279　windshield/windscreen*	3280　wine	3281　wing
ウィンクする	ふゆ	ふく	でんせん
3282　to wink	3283　winter	3284　to wipe	3285　wire
おじいさんは かしこい ろうじんです。 はやしのなかへ ひとりで いくのは かしこくありま せん。 *Grandfather is a wise old man.* *It is not wise to go into the forest alone.* 3286　wise	ねがい 3287　to make a wish	まほうつかい、まじょ 3288　witch	まほうつかい (おとこ) 3289　wizard
おおかみ	おんなのひと、じょせい	ふしぎがる	すばらしい
3290　wolf	3291　woman	3292　to wonder	3293　wonderful
ざいもく	きつつき	はやし、もり	もっこう
3294　wood	3295　woodpecker	3296　woods	3297　woodwork

ウール	ことば	しごと	はたらく
3298 wool	3299 word	3300 work	3301 to work

ワークショップ、しごとば	せかい	みみず	うんどうする
3303 workshop	3304 world	3305 worm	3302 to work out

しんぱいする	けが、きず	つつむ	はなわ
3306 to worry	3307 wound	3308 to wrap	3309 wreath

こわれたもの、ざんがい	みそさざい	レスリングする	しぼる
3310 wreck	3311 wren	3312 to wrestle	3313 to wring

てくび	うでどけい	かく	ひとをだましたり、うそをついたりするのは わるいことです。 このバスは まちがったほうこうに いっています。 *It is wrong to cheat and to lie.* *Our bus is going the wrong way.*
3314 wrist	3315 wristwatch	3316 to write	3317 wrong

	レントゲン	もっきん	ヨット
	3318 X-ray	3319 xylophone	3320 yacht

にわ	あくびする	とし	さけぶ
3321 yard/garden*	3322 to yawn	3323 year	3324 to yell

きいろ	こたえは イエスですか、ノーですか。もし こたえが「はい」なら、てをあげてください。 Is it yes or no ? If your answer is "yes", please raise your hand.	アイスクリームを たべすぎて きのうアシュレイは びょうきになりました。 Yesterday Ashley was sick from eating too much ice cream.	ゆずる
3325 yellow	3326 yes	3327 yesterday	3328 to yield/give way*

たまごのきみ	わかい	しまうま	ゼロ、れい
3329 yolk	3330 young	3331 zebra	3332 zero

ジッパー	どうぶつえん	(きゅうに) じょうしょうする	ズッキーニ
3333 zipper/zip*	3334 zoo	3335 to zoom	3336 zucchini/courgette*

HIRAGANA INDEX

The following index lists in alphabetical order all the Hiragana terms used in this dictionary. The number(s) following each term refer to the picture number(s) in which the term appears. For a complete listing of Hiragana, Kanji and Romaji terms, see the Concordance at the back of this book.

けいぶ 1448
けいむしょ 1476, 2247
けいれいする 2496
ケーキ 405
ケース 453
ケープ 432
ケーブル 402
ゲーム 1098
けが 1442, 3307
げかい 2878
けがわ 1090
げきじょう 2966
げきりゅう 3033
けし 2198
けしき 2524, 3157
けしょう 1720
けす 680, 3101
けずる 2536
けち(な) 1197, 1806
けちんぼ 1806
けっかん 3148
けっこんしき 3228
けっこんする 1740
けっしょう 2713
けっせき 4
けっとう 848
げつ 1828
げつようび 1823
けぬき 3111
けのふさふさした 1091
　　　2578
けむし 461
けもの 207
ける 1518
けれども 393
けわしい 2470, 2808
けんかする 984, 2308
げんき(な) 992, 1291
　　　3239
げんきがいい 1668
げんきん 454
げんけい 2049
けんこう(な) 1291
げんこつ 1008
けんさする 1447
げんし 121
げんそく 2244
けんちくか 92

けんびきょう 1786

こ ー コ

ご¹ 1009
ご² 1571
コアラ 1549
ごい 3168
こいし 2065
こいしい 1807
こいぬ 2290
コイル 573
コイン 574
(お)こう 1430
こううん(な) 1700
こうえん 2024
こうか 574
こうか(な) 925
ごうか(な) 1171
こうかい 3177
こうかいする 2388
こうかんする 3046
こうきしんのつよい 702
こうぎする 2265
こうきゅう(な) 2306
こうげん 2152
こうこう 1330
こうこくばん 248
こうさてん 1453
こうざん 1796
こうさんする 1147, 2881
こうし¹ 408, 1451
こうし² 1451
こうしのにく 3144
こうしゃく 849
こうしゃくふじん 846
こうしゅうでんわ 2054
　　　2272
こうじょう 938
こうしんする 1733
こうすい 2086
こうずい 1028
こうせん 203, 2355
こうそう(ビル) 1329,
　　　2671
こうたいし 2241
こうたいしひ 2242
こうちゃ 2941

こうちょう 2243
こうつう 3047
ごうとう 2440
こうとうがっこう 1330
こうのとり 2833
ごうばん 2171
こうふ 1797
こうふく(な) 1266
こうぶつ 1798
こうま 582
こうもり 191
こえ 3169
こえだ 2816, 3113
ゴーグル 1163
ゴージャス(な) 1171
コーチ 560
コーチする 562
コート¹ 566
コート² 646
コード 626
コーヒー 571
こおり 1413
こおりがとける 2965
こおる 1069
こおろぎ 670
ゴール 1161
コールタール 2933
コールタールピッチ
　　　2135
こおろぎ 670
こがたな 2078
ごがつ 1752
ごかっけい 2079
こぎって 502
こぐ 1991, 2463
こくばん 262
こぐま 691
こくもつ 1178
こけ 1838
こけもも 1394
こげる 2531
ここ 1316
ごご 27
ココア 568
ココナッツ 569
ここのつ 1914
ここのつめ 1915
こころ 1795

こし 1336
こじ 1967
こしかけ 2827
こじき 223
こしょう 2081
こしょうする 338
こしをまげる 2828
こじん 2249
こす 2838
こする 29, 2541
こぜに 485
こたえ 70
こたえる 2402
ごちそう 969
こっきょう 309
コック 619
こづつみ 2022
こっぱ 517, 2762
コップ 1151
こて 3082
コテージ 635
こと 2974
ことなる 765
ことば 1571, 3299
こども 511, 1519
ことわざ 2268
ことわる 2385
こな 1030
こなごな 2588, 2699
こなみ 2432
こねこ 1538
ごはん 2416
ごばんめ 983
コピーする 624
こひつじ 1561
こびと 856, 1790
こぶ 380, 1399, 1705
こぶし 1008
こぼす 2754
こぼれる 2754
こま 3029
こまどり 2441
こまらす 2091
ごみ 1103
ごみいれ 1104
コミニティー 593
ごみのやま 850, 1292
ゴム 2465

ジッパー 3333
しっぱい 939
しっぽ 2908
しつもんする 2313
しつりょう 1744
しつれい 919
じてんしゃ 244, 246, 714
じどう 130
じどうしゃ 1598
じどうしゃ 436
しぬ 763
しはいしゃ 2473
しばかりき 1593
しばふ 1592
しばる 250
じびき 762
ジプシー 1142
しへい 247
しぼる 3313
しま¹ 1467
しま² 2854
しまうま 3331
じまんする 297, 330
しみ 287, 2767, 2787
しめころす 2841
しめる¹ 1819
しめる² 960, 2999
しめる³ 2672
じめん 1216
しも 1078
しもん 994
ジャービル 1125
シャープ(な) 2584
じゃがいも 2213
しゃがむ 2780
じゃぐち 964, 2929
しゃけ 2494
ジャケット 1473
しゃこ 1102
しゃしょう 606
しゃしん 2100
しゃせん 1570
シャツ 2606
しゃっくり 1324
シャッター 2632
しゃどう 2051
しゃぶる 2862
しゃべる 496

シャベル 2622
ジャム 1477
しゃめん 2692
じゃり 1192
しゃりん 3247
しゃれた 953
シャワー 2626
ジャンク 1508
ジャングル 1507
ジャンパー 1504
ジャンパーケーブル 1505
シャンプー 2581
ジャンプする 1500
しゅう 3232
じゅう 2957
じゆう(な) 1068
じゅうい 3153
しゅうかく 677
じゅうがつ 1934
しゅうかん 1234
しゅうげき 2334
じゅうじか 678
しゅうしふ 2087
じゅうしょ 17
しゅうじん 2248
じゅうしん 180
ジュース 1498
しゅうぜんする 2399
しゅうだん 1218
じゅうたん 446
しゅうちゅうする 602
じゅうでんする 492
じゅうにがつ 739
じゅうばんめ 2961
じゅうぶん 900
しゅうまつ 3233
じゅうよう 1428
じゅうりょく 1193
じゅえき 2501
じゅくす 2431
しゅくだい 1356
しゅじゅつ 1954
しゅじん 1407
しゅちょうする 1446
しゅっけつする 274
しゅっせき 2229
しゅみ 1343

しゅるい 1528
じゅんしゅ(の) 1122
しょう¹ 488
しょう² 2250
じょう 1677, 1992
じょおう 2312
しょうが 1140
しょうがい 1254
しょうかいする 1456
しょうかき 931
しょうかする 767
しょうがっきん 2525
しょうがっこう 2239
じょうき 3141
じょうきゃく 2037
しょうこ 2260
しょうご 1788, 1921
じょうご 1088
しょうこう 1940
じょうざい 2117, 2904
しょうじき 781, 1357
しょうしょう 1822
じょうしょうする 3335
しょうぞうが 2206
しょうたい 1461, 1462
じょうだん 1495
しょうとつ 579, 580
しょうねん 327
じょうはつ 910
じょうひん(な) 1176
しょうぼうし 1001
しょうぼうしゃ 998
しょうめい 1015
しょうめいしょ 479
しょうめいする 2267
じょうりょくじゅ 913
じょうろ 3211
ショーウィンドー 2615
ジョーク 1495
ショートパンツ 2618
ジョギングする 1492
しょくじ 1758
しょくだい 422
しょくどう 771
しょくぶつ 2145
しょくもつ 1043
しょくりょうひん 1210
しょくりょうひんてん

1209
じょせい 1556, 3291
しょっきあらいき 786
ジョッキー 1491
しょっきだな 697, 1409
ショック 2608
しらせる 1438
しらべる 499, 916, 1447
シリアル 477
しりたがりや 702
しりつ(の) 2249
シリンダー 715
しろ 456, 3261
しろくま 2183
シロップ 2901
しろのあと 2471
しん 3264
しんきろう 1804
シングル 2602
しんけい 1897
しんけいしつ 1898
しんごう 3048
しんごうをおくる 2639
しんし 1121
しんしつ 215
しんじつ 3090
ジンジャーブレッド 1141
しんじゅ 2062
しんじる 228
しんせい(な) 1354, 2484
じんせい 1634
しんせき 2392
しんせつ(な) 1529
しんせん(な) 1070
しんぞう 1294
じんぞう 1522
しんだ 736
じんだい 1056
しんにゅうする 1457
しんぱいする 3306
シンバル 716
しんばんいん 2382
シンプル(な) 2645
しんぶん 1904
しんようする 3089
しんらい 943
しんりょうじょ 545
しんるい 2392

もう 55
もうしでる 1939
もうじん 276
もうひとつ 69
もうふ 268
もえる 386
モーター 1840
モーターボート 1585
もくざい 1704
もくようび 2991
もぐら 1820
もけい 1817
モザイク 1836
もし 1422
もじ 1622
モダン 1818
もちあげる 1297, 1636
もちかえり 2917
もちかえる 2913
もちさる 2912
もつ 1580
もつ、もっている **1281,**
1348, 1982
もっきん 3319
もっこう 3297
もっていく 2910
もってくる 351
もつれる 2926
もどす 2375, 2987
3173
もの 2974
ものがたり 2835
ものほしづな 552
もみ 996, 2777
もめん 636
もも 2056, 2971
もや 1284, 1809
もらう 2369
もり 1051, 3296
もる 1600
もろい 1065
モルモット 1227
もん 114
モンクフィッシュ 1826
モンスター 1827
もんだい 2251

や　ヤ

や 103
やがい 1971
やかん 1516
やぎ 1162
やきゅう 185
やく 149, 1081, 1203
やくざいし 2096
やくそう 1314
やくそくする 2257
やくにたつ 3139
やくみのきいた 2751
やぐら 2513
やけどする 2514
やさい 3145
やさいばたけ 1105
やさしい¹ 867
やさしい² 1120, 1529
やしのみ 569
やすい 497
やすうり 172
やすまずに 2050
やすみ 1351, 3140
やすむ 1694, 2407
やせい 3268
やっきょく 2097
やっつ 878
やづつ 2321
やっつめ 879
やってみる 3091
やどりぎ 1810
やなぎ 3269
やね 2451
やねいた 2601
やねうら 124, 1681
やぶ 391
やぶく 2947
やま **1845,** 2116
やまごや 400, 1680
やまびこ 872
やり 1565, 2746
やわらかい 2720

ゆ　ユ

ゆうかいする 1521
ゆうかん(な) 335
ゆうき 645

ゆうぐれ 854
ゆうけんしゃ 3175
ゆうごはん 2875
ゆうしょうする 3272
ゆうしょく 772, 2875
ゆうびんきょく 2209
ゆうびん 1717
ゆうびんはいたつ 1718
ゆうめい 951
ゆうり 22
ゆうれい 1134
ゆか 1029
ゆがんだ 676
ゆき 2712
ゆきどけ 2696
ゆげ 2806
ゆすぐ 2428
ゆする 2443
ゆずる 3328
ゆっくり 3078
ユニコーン 3129
ユニフォーム 3130
ゆび 993
ゆびさす 2177
ゆびぬき 2972
ゆびわ 2425
ゆぶね 194
ゆみ 322
ゆめ **819,** 820, 1913
ゆり 1647
ゆりいす 2445
ゆりかご 656
ゆるい 1689
ゆるす 1053

よ　ヨ

よい 1167
ようい 2359
よういする 2269
ようき(な) 1775
ようさい 1057
ようし 1988
ようじ 906, 1435
ようせい 942
ようふく 551
ようふくだんす 549
ようふくや 2909

ようほうじょう 80
ようもう 1024
ヨーロッパ 909
よくばり(の) 1197
よこぎる 15, 679
よこすべり 2663
よこになる 1633
よごれ 2767
よごれた 776, 1204
よし 2378
よすてびと 1317
よたか 3255
よだれかけ 243
よだれ 824, 834
ヨット 3320
よびのタイヤ 2741
よびだす 411
よぶ 409
よむ 2358
よりわける 2732
よる¹ 837
よる² 1911
よる³ 2831
よる⁴ 3117
よろい 97
よわい 3221

ら　ラ

ラード 1575
らいう 2990
ライオン 1658
ライバル 2435
ライム 1649
ライむぎ 2482
ライラック 1646
らく(な) 590, 867
ラクーン 2325
らくだ 413
らくのう 721
ラジエーター 2329
ラジオ 2330
ラズベリー 2347
らせんじょう(の) 2758
らっぱ 373
ラディッシュ 2331
ラベル 1550
ラベンダー 1590

ROMAJI INDEX

The following index lists in alphabetical order the Romaji equivalents of the Hiragana terms used in this book. Not all Hiragana terms have a Romaji expression, and some Romaji expressions (those taken directly from English) have been excluded from this index. All other Romaji expressions are listed alphabetically, with the picture number following. For a complete listing of Hiragana, Kanji and Romaji terms, see the Concordance at the back of this book.

a

abarabone 2414
abokado 133
abura 1195, 1942
aegu 2013
afureru 1977
agaru 1160
ageru 1081, 1145,
1184, 2987
ago 515, 1481
ahiru 847
ai 1695
ai suru 1696
ai-iro 1433
aida 242
aidia 1418
airisu 1463
airon 1465
airon o kakeru 1464
aisatsu suru 1201
aisu 1413
aite ni shinai 1891
aite iru 1952
aizu suru 2639
aji 1021
ajia 109
ajiwau 2938
aka 2377
akachan 140
akamboo 140
akarui 350
akeru 1953
aki 131, 945
akubi suru 3322
akumu 1913
akushuu o hanatsu
2702, 2821
amado 2632
amai 2891
ame 423
ame ga furu 2337
amido 2538
amu 1543
an'nai suru 1225
ana 310, 826, 1351
anaunsu suru 68
anshoo suru 2372
anzen (na) 2487
anzu 87
ao 291
aoi 291
araiguma 2325
arappoi 564, 2460

arashi 2834
arau 3203
arawareru 82, 2625
ari 71
arubamu 43
aruku 3179, 3186
arumi 58
asa 1834
asagohan 340
asai 2580
ase o kaku 2888
ashi 1044, 1611,
2052, 2378
ashi no yubi 3013
ashiato 1046
ashikubi 67
ashioto 1047
ashita 3018
asobiba 2155
asobu 2154
atama 289, 1287,
2517
atama ga ii 2698
atarashii 1902
atatakai 566, 3197
atatamaru 3198
atatameru 1295
ateru 1223
ato de 26
atomawashi 2299
atsui 1383
atsumeru 577, 1115
au 1767
awa 367, 1039,
1583
awaseru 586, 1493
awatateki 3256
ayamaru 81
ayame 1463
ayatsuri ningyoo
2289
azami 2978
azukeru 499

b

bagu 1272
baiten 1532
baka 1420, 2643
baka ni suru 1815
baketsu 368, 1994
bakkin 991
bakku suru 143
bakuha suru 270
bakuhatsu 269, 930

bangohan 772
bangumi 2254
bara 2456
barairo (no) 2458
basho 2137
bassuru 2287
basutee 390
batan to shimeru
2672
batee 1212
batsu 2288
batta 1189, 1679
bazeru 187
benkyoo suru 2857
bentoo 1706
bentoobako 1707
beree-boo 237
beto beto shita
2817
bideo 3155
bideo dekki 3155
bideo teepu 3156
biidama 1732
bikko 1562, 1651
bikkuri saseru 1074
bikkuri paatii 2880
bimboo 2195
bin 316, 1480
binkan (na) 2565
biyooshi 1239
biza 3164
bo-in 3176
bokin 1086
bokujoo 2044
boodoo 2429
booenkyoo 2952
boofuu 1404
boken 23
bookire 2816
booru 155, 324
boorubako 451
boorugami 439
booryoku-dan 1100
booshi 430, 1276
booshikake 2327
boosui 3215
botan 397
budoo 1185
budooshu 3280
bukakkoo 137
buki 3222
bun 1064, 2310
buna 217
bunshoo 2566

bura bura shite iru
1421
buranko 2894, 2895
burashi o kakeru
362, 1213
bureeki o kakeru
333
burendaa 275
burokku suru 282
bushi 3201
bushoo-mono 2691
buta 2113, 2736
butagoya 2115
butai 2786
butsu 2674, 2852
butsukaru 579, 659
byoo 2905
byoodoo 904
byooin 1382
byooki 782, 1425,
2634
byoonin 1458

c

chairo 360
chakuriku suru 1567
chawan 696
chi 284
chi ga deru 274
chichioya 963
chigai 764
chigatta 765
chiheesen 1372
chiiki 791, 2386
chiisai 2697, 3003
chiisai fune 770
chiisana nami 1666,
2432
chiisana too 3108
chijimiagaru 3273
chijimu 2629
chijire-ge 701
chikai 1881
chikashitsu 186, 471
chikazuku 86
chikoku 1582
chikyuu 862
chimeeteki 962
chinomigo 1435
chirakasu 1665
chiri 1123
chitchana 3003
chizu 119, 1730
chizuchoo 119

higashi 866
hige 206
hige o soru 2589
higesori 2356
hiiragi 1353
hiji 881
hijikake isu 96
hijooguchi 999
hijoojitai 892
hikaru 2743, 3115
hikidashi 818
hikigane 3073
hikizuru 812, 1279
hikkaku 2537
hikkurikaeru 1979,
3004, 3030
hikkurikaesu 3104
hikooki 39
hikooshi 2121
hiku 1206, 2277,
2477, 2861
hikui 1698
himawari 2871
himitsu 2555
himo 2842, 2853
himo o musubu
1553
hinagiku 722
hinanjo 2596
hinode 2872
hinto 557
hipparu 1279, 2277,
2839, 3038, 3095
hippu 1336
hiraishin 1643
hiraku 1953
hirame 2722
hiranabe 2007
hire 990
hirogaru 923
hiroin 1319
hiroma 1242
hishaku 1555
hitai 1050
hito 2089
hitobito 2080
hitokire 2110
hitokuchi 257
hitori de 51
hitotsu 1949
hitsugi 572
hitsuji no ke 1024
hitsuji 2592
hitsujikai 2597

hitsuyoo 1883, 1888
hittakuru 1175
hiyake 2924
hiza 1540, 1573
hiza o tsuku 1541
hizuke 733
hizume 1365
ho 2488
ho'ohige 3257
ho(h) o akarameru
294
ho(h)o 500
hodoo 2636
hoeru 174, 2438
hoka ni 239
hokakebune 2490
hokkyoku 93
hokkyoku-guma
2183
hokoosha 2070
hokori 775, 855
hokoritakai 2266
hokoru 2266
hokuro 1821
hommono (no)
1122, 2360
homeru 2224
hon 305
hondana 306
hone 303
hono'o 271, 1013
hontoo 3084
hontoo ni 2362
hontoo (no) 2360
hontoo no koto
3090
hoohoo 1783
hooki 357
hookoo 774
hoomon suru 3166
hoomu 2153
hoorensoo 2756
hooritsu 1591
hooroo suru 3192
hooseki 1117, 1488
hootai 163
horaana 466
hori 1814, 3067
horu 766
hoshi 2795
hoshibudoo 2341
hoshigusa 1283
hoshii 3193
hoshoo 2567

hosoi 2973
hosshin 2346
hossori shita 2684
hosu 843
hotategai 2516
hoteru 1386
hotondo 50
hyakashoku megane
1511
hyakkaten 749
hyaku 1400
hyoo 1236, 1617,
2014
hyooga 1148
hyoohakuzai 273
hyoomen 2877
hyooryuu suru 825
hyoozan 1415

i

i 2825
ibo 3202
iburu 2380
ichi 1949
ichi-gun 1027
ichi-nen-see 1177
ichiban 240, 1004
ichiban ue 3028
ichido 1948
ichigatsu 1479
ichigo 2844
ichirinsha 3248
idetachi 1972
ido 3238
ie 1355, 1389
ifuku 551
ii 1167, 1907
iiharu 1446
iizeru 865
iji no warui 1759
ijimekko 379
ika 2782, 3124
ikada 2333
ikari 62
ike 2191
iken 777
ikeru 100
iki 341, 342, 522
ikimono 666
ikite iru 45
iku 1157
ikutsuka 2572
ima 1669
imooto 2652

in 2413
inago 1679
inaka 642
inanaku 1892
inchi 1431
inemuri (o) suru 810
inisharu 1440
inku 1443
inoru 2226
inoshishi 295
insatsu suru 2245
inseki 1780
inu 799, 2290
inugoya 1514
ippai ni suru 986,
987
ippai 1084
irakusa 1900
irie 196
iriguchi 902
iro 581
iru 1889
iruka 801
ise-ebi 1675
iseki 2471
isha 798
ishi 319, 2826
ishikeri geemu 1371
ishiki ga modoru
589
ishikiriba 2309
ishoo 634, 3196
isogashii 392
isogu 1405, 2747
issho ni 3014
issoku 2002
isu 482
ita 296, 2144, 2601
itachi 3224
itai 11, 1406, 2729
itameru 1081
itami 1995
itanda 145, 2763
itazura 1879
ito 2980, 2981
itoko 647
itomaki 2381, 2765
itosugi 717
itsu 3250
itsumo 59
itsutsu 1009
itsutsu ka muttsu
2572
itsutsu-me 983

itteki 835
iwa 2442
iwashi 2502
iwau 468, 612
iya (na) 1060, 2702
izumi 2774

j

jagaimo 2213
jaguchi 964, 2929
jampu suru 1500
jamu 1477
janguru 1507
janku 1508
jari 1192
jetto-ki 1486
ji 489
jibiki 762
jidoo 130
jidoosha 436
jigoku 1304
jikan 1387, 3002
jikan o mamoru 2285
jikken 926
jikkenshitsu 1551
jiko 7
jiko o okosu 659
jiku 139
jiman suru 297, 330
jimen 1216
jindai 1056
jinsee 1634
jinzoo 1522
jishaku 597, 1713
jishin 864
jishin ga aru 610
jisho 762
jitensha 244, 246, 714
jitto miru 2796, 3209
jiyuu (na) 1068
jogingu suru 1492
joo 1677, 1992
joo'oo 2312
joodan 1495
joogo 1088
joohatsu 910
joohin (na) 1176
jooki 3141
jooku 1495
jookyaku 2037
jooro 3211

jooryokuju 913
jooshoo suru 3335
joozai 2117, 2904
josee 1556, 3291
jueki 2501
jukusu 2431
junshu (no) 1122
juu 2957
juu'i 3153
juu-gatsu 1934
juuban-me 2961
juubun 900
juuden suru 492
juujika 678
juuni-gatsu 739
juuryoku 1193
juushin 180
juusho 17
juusu 1498
juutan 446
juuyoo 1428

k

ka 1837
kaaru suru 700
kaaten 705
kaba 1337
kabaa suru 648
kaban 349
kabe 3187
kabin 3143
kabocha 2283, 2779
kabu 3105
kabutomushi 221
kachiku 462
kado 630
kaedama 806
kaeru 486
kaeru 1277
kaeru 1075
kaeru 2409
kaesu 352, 1146, 2409
kafun 2189
kagami 1805
kagamu 2828
kagayaku 2600
kage 2577
kagi 1517, 1992, 1676, 3133
kagi o kakeru 1676
kagi o hazusu 3133
kagibari 1366
kagiri 1650

kago 188
kago 404
kagu 1093
kai 1768, 1990, 2544, 2595
kaibashira 2516
kaibutsu 1827
kaichuu dentoo 1017
kaidan 2788
kaigan 200, 565, 2616
kaigara 2595
kaigi 1768
kaigoo 1768
kaigun taishoo 18
kaiketsu suru 2723
kaisha 1003
kaisoo 2553
kaiteki (na) 590
kaiwa 618
kaizoku 2129
kaji 997, 1306, 2468, 2810
kajiya 264
kajuen 1960
kakashi 2520
kakato 1302
kakegane 1581
kakeru 1097, 1259, 1261, 1856
kakezan suru 1856
kaki 1985
kakimawasu 2822
kakine 1300
kakko ii 1882, 2698
kakkoo 693, 1972
kaku 816, 1469, 3316
kakudaikyoo 1715
kakudo 64
kakunooko 1262
kakureba 1327, 2596
kakureru 1326
kakuseeki 378, 1693
kama 1524
kamboku 2630
kame 3034
kamera 414
kami 2017
kami no ke 1237
kamikire 2534

kaminari 1642, 2989
kamome 1230, 2545
kamoshika 73
kampan 741
kamu 256, 506, 1906
kan 417
(o)kan 572
kan'ningu suru 498
kanaami 2538
kanaeru 1184
kanai 3267
kanarazu 2876
kanariya 420
kanashii 2485, 3128
kanazuchi 1246
kane 229
kanemochi 2417
kangae 1418
kangaeru 2975
kangaruu 1512
kangee suru 3237
kangoku 1476
kani 653
kanja 2048
kanjiki 2714
kanjiru 973
kankiri 418
kankyaku 125
kanna 2142
kansatsu suru 1931
kansen 1436
kansetsu 1494, 1548
kansha suru 2964
kansooki 845
kantan 2645
kantanfu 918
kanzume 417
kao 937
kappatsu (na) 1668
kappu 696
kappuru 644
kara 893, 1076
karada 300
karai 1384
karamatsu 1574
karappo 893
karashi 1866
karasu 681
kari o suru 1402
kari'ireru 1275
kariru 313, 2398
karu 1852

karuku suru 1640
kasa 3122
kasasagi 1716
kasaneru 1595
kasegu 861
kaseki 1059
kashi no ki 1927
kashikoi 3286
kashira moji 1440
kassha 2278
kasu 1615, 1674
kata 1056, 1842, 2619
katabami 2730
katai 1268, 2818
katamari 529
katamuku 1601, 3001
katana 2899
katarogu 458
katatsumuri 2706
katazukeru 542, 2298
katsu 3272
kau 398
kawa 175, 687, 1090, 1604, 1325, 2424, 2436
kawaigaru 2093
kawaii 712
kawairashii 1697
kawaisoo (na) 2136
kawaite iru 832
kawakasu 843
kawari ni 1449
kawasemi 1531
kawauso 1969
kayoobi 3094
kayui 1470
kayumi 1468
kazan 3170
kazari 743
kazaru 742
kaze 3274
kazoeru 639
kazoku 950
ke 1237
ke no fusafusa shita 1091, 2578
keana 2201
kechi 1197, 1806
kechimbo 1806
keebu 1448
keekaku suru 2141

keekan 615, 2185
keeki 405
keekoku 2353
keemusho 1476, 2247
keeree suru 2496
keesanki 406
keesuuki 640
keeteki 1374
kega 1442, 3307
kegawa 1090
keisha shita 2673
kekkan 3148
kekkon-shiki 3228
kekkon suru 1740
kembikyoo 1786
kemono 207
kemushi 461
kenchikuka 92
kenka suru 984, 2308
kenkoo (na) 1291
kensa suru 1447
kenuki 3111
keredomo 393
keru 1518
keshi 2198
keshiki 2524, 3157
keshoo 1720
kesseki 4
kesshoo 2713
kesu 680, 3101
kettoo 848
kewashii 2470, 2808
kezuru 2536
ki 3065
ki no kawa 175
ki ni itta 967
ki no yasashii 1120
ki o ushinau 2035
ki no hahen 2762
kiba 954, 3110
kibarashi 2042
kibi kibi shita 31
kibishii 1274
kiboo ga nai 1370
kiboo suru 1369
kibun 2955
kichin to shita 1882, 2263, 2995
kieru 778, 1938
kigen ga ii 1830
kigen ga warui 1831
kiheetai 465

kiiro 3325
kiji 2098
kikansha 1678
kiken 729, 2434
kikku suru 1518
kikoeru 1293
kiku 110, 528, 1663
kikyuu 159
kimae no yoi 1119
kimeru 740
kimi 3329
kimi no warui 1215
kimochi no ii 2158
kimpatsu 283
kimyoo (na) 3236
kin 1126, 1164
kin'niku 1859
kinen'hi 1829
kingyo 1165
kinjiru 2255
kinoko 1861
kinoo 3327
kinyoobi 1071
kinzoku 1779
kiosuku 1532
kippu 2993
kira kira hikaru 3115
kirameku 2753, 3115
kirau 787
kire 550
kiree (na) 209, 2234, 2291
kiri 827, 1040, 1809
kirikabu 2859
kirin 1143
kirisame 833
kiritoru 711
kiritsukeru 2675
kiroguramu 1525
kiromeetoru 1526
kiru 452, 546, 709, 822, 2510, 2675, 3074, 3223
kiseki 1803
kisetsu 2550
kisha 3051
kishi 2616
kishu 1491
kiso 1061
kiso suru 492
kisoku 2472
kisu 1534, 1535
kita 1922

kitai 120, 1109
kitai suru 924
kitanai 776, 989, 1204
kitchin 1536
kitsune 1063
kitsutsuki 3295
kitte 2793
kitto 2876
kiyoo (na) 1258
kizamu 525
kizoku 1918
kizu 361, 2518, 3307
kizu tsukeru 1270
ko-eda 2816, 3113
ko-gatana 2078
ko-hitsuji 1561
ko-inu 2290
ko-nami 2432
ko-neko 1538
ko-uma 582
ko-ushi 408, 1451
ko-ushi no niku 3144
ko-yagi 1520
ko-zeni 485
kobito 856, 1790
koboreru 2754
kobosu 2754
kobu 380, 1399, 1705
kobushi 1008
kodomo 511, 1519
koe 3169
koeda 2816, 3113
kogeru 2531
kogitte 502
ko-gatana 2078
kogu 1991, 2463
koguma 691
koiru 573
koishi 2065
koishii 1807
koji 1967
kojiki 223
kojin 2249
koke 1838
kokemomo 1394
kokku 619
kokkyoo 309
koko 1316
kokonotsu 1914
kokonotsu-me 1915

kokoro 1795
kokuban 262
kokumotsu 1178
koma 3029
komadori 2441
komarasu 2091
komboo 556
komoriuta 1703
kon'nichiwa 1305
kona 1030
konagona 2588, 2699
konchuu 1444
konran suru 611
konrei 3228
(o)koo 1430
koo'un 1700
koo-no-tori 2833
koobutsu 1798
koocha 2941
koochi (o) suru 562
koochoo 2243
kooen 2024
koofu 1797
koofuku (na) 1266
koogen 2152
koogi suru 2265
koohii 571
koojoo 938
kooka 574
kooka (na) 925
kookai suru 2388
kookai 3177
kookan suru 3046
kookishin no tsuyoi 702
kookokuban 248
kookoo 1330
kookyuu (na) 2306
koomori 191
koori 1413
koori ga tokeru 2965
koorogi 670
kooru 1069
koosan suru 1147 2881
koosaten 1453
koosen 203, 2355
kooshaku fujin 846
kooshaku 849
kooshi 1451
kooshin suru 1733
kooshuu denwa 2054, 2272

koosoo biru 1379, 2671
koosui 2086
kootaishi 2241
kootaishi-hi 2242
kootoo gakkoo 1330
kootsuu 3047
koozan 1796
koozui 1028
kopii suru 624
koppa 517, 2762
koppu 1151
korobu 947, 3097
korogaru 2448, 3097
korosu 1523, 1858
koruku 627
koshi 1336
koshi o mageru 2828
koshikake 2827
koshoo 2081
koshoo suru 338
kosu 2838
kosuru 29, 2541
kotae 70
kotaeru 2402
kote 3082
koto 2974
kotoba 1571, 3299
kotonaru 765
kotowaru 2385
kotowaza 2268
kotte iru 2818
kowai 24
koware-yasui 353, 1065
kowareru 338, 940
kowareta 724
kowasu 337
koya 1408, 2576
koyama 1843
koyomi 407
kozutsumi 2022
ku 1914
ku-gatsu 2568
kubi 1884
kuchi 1848, 2768
kuchi o togarasu 2220
kuchibashi 202
kuchibeni 1660
kuchibiru 1659
kuchibue o fuku 3260

kuchihige 1847
kuchikukan 754
kuchiwa 1867
kuda 3093
kudamono 1080
kugi 1868
kui 2789
kuiin 2312
kujaku 20057
kujiku 2769
kujira 3243
kuki 2791, 2811
kuma 205
kumade 2134, 2342
kumo 553, 2752
kumo no su 567
kuni 643, 1876
kura 2486
kuraberu 596
kurai 730
kureyon 663
kuri 505
kurikaesu 2400
kuro 259
kuroi 259
kurosuguri 263
kuru 587
kurubushi 67
kuruma 436
kuruma-isu 3249
kurumi 1924, 3189
kurumi-wari 1925
kusa o taberu 1194
kusa 1188
kusabi 3229
kusahara 1756
kusari 480, 1603
kusatta 2459, 2763
kuse 1234
kushami o suru 2710
kushi 584
kusu kusu warau 1138
kusuguru 2994
kusuri 1765, 2117
kutsu 2609
kutsu-himo 2610
kutsuwa 348
kutsuya 2611
kuudoo 1352
kuuhaku 267
kuuki 36, 2282
kuukoo 40
kuwa 1347, 2739

kuzu 685, 1509, 1657
kyabetsu 399
kyaku 1224
kyampu 415, 416
kyodai (na) 899, 1137, 1396
kyohi suru 2385
kyojin 1135
kyoo 3012
kyoodai 2652
kyookoku 429, 2353
kyooryuu 773
kyooshi 2943
kyooshitsu 538
kyoosoo suru 2326
kyori 789
kyuu 1914, 2750
kyuu (na) 2808
kyuu ni 2883
kyuubam-me 1915
kyuuden 2003
kyuuji suru 2569
kyuujitsu 1351
kyuuka 3140
kyuukyuusha 60
kyuumee booto 1635
kyuuri 694
kyuuryuu 3033

m

maaku suru 1737
maamotto 1217
mabataki suru 277
machi 3041
machigai 949
machigatta 3317
mado 3278
mae 33, 222, 1077
maekagami 2694
maekake 89
maetate 1037
magatta 675
magatte iru 235
mageru 236
mago 1180
mahi suru 2021
mahiru 1788
mahoo 1711
mahootsukai 3288, 3289
maiku 1785
mainasu 1801
mainichi (no) 720

mairu 1792
majo 3288
majutsushi 2728
makka 2522
maku 3275
makura 2119
makura kabaa 2120
mame 204
mamoru 1222
mandorin 1725
maneku 1462
maneru 1815
mangekyoo 1511
mannaka 1789
manriki 536
maru 532
marui 2461
marumero no mi 2320
maruta 1682
massugu 2837, 3135
masu 3081
masutaa suru 1746
mata 28, 2258, 2971
matchi 1748
matenroo 2671
mato 2934
matsu 2125, 3184
matsubazue 688
matsubokkuri 609
matsuge 935, 1578
matsuri 941, 979
mattaku 75, 1419
mawaru 2755
mawasu 3100, 3116
mayonaka 1791
mayuge 933, 359
mazeru 1812, 2631
me 932
me ga samete iru 134
me no mienai hito 276
me ni mienai 1460
me-ushi 650
mecha-kucha 1776
medaru 1764
mee 1910
meeree suru 592
meero 1755
meetoru 1782
meeyo 1362

megahon 378
megane 934, 11152
mekyabetsu 366
memai ga suru 795
membaa 1771
memboo 2450
men 1743
mendoo o miru 440
mendori 1312
mensetsu 1454
meso meso suru 3253
mesu 974
mezamashi-dokei 42
mezurashii 2345
mi o kagameru 1395
mibun ga takai 1917
michi 2046, 2437, 2847
midori-iro 1198
mienai 3165
migaku 2187
migi 2422
migi-kiki 2423
migite 2421
miharu 1222
mikage-ishi 1183
mikan 1724, 2925
mikata 3157
miki 3087
mikisaa 275, 1813
mikkusu suru 1812
mimi 859
mimizu 3305
minami 2735
minashigo 1967
minato 1267, 2203
minikui 3121
mippee shita 38
miru 426, 1686, 2556
misaki 431
mise 2613, 2614, 2832
misebirakasu 2624
miseru 2623
mishin 2574
misosazai 3311
misuborashii 2575
mitasu 986
mitsu 1886
mitsubachi 80, 218
mittsu 2982

mittsu-me 2976
mizo 792, 1214, 1233, 3067
mizore 2681
mizu o fukitsukeru 2784
mizu 3210
mizuboosoo 5909
mizubukure 278
mizugoke 2064
mizukaki-ashi 3227
mizutamari 2274
mizuumi 1560
mo 57
mochiageru 1297, 1636
mochikaeri 2917
mochikaeru 2913
mochisaru 2912
modan (na) 1818
modosu 2375, 2987, 3173
moeru 386
mogura 1820
moji 1622
mokee 1817
mokkin 3319
mokkoo 3297
mokuyoobi 2991
mokuzai 1704
momen 636
momi 996, 2777
momo 2056, 2971
mon 1114
mondai 2251
mono 2974
monogatari 2835
monohoshi-zuna 552
moo 55
moo hitotsu 69
moofu 268
moojin 276
mooshideru 1939
morau 2369
moroi 1065
mori 1051, 3296
moru 1600
moshi 1422
motsu 1281, 1348, 1982
motsureru 2926
motte kuru 351
motte iku 2910

moya 1284, 1809
mozaiku 1836
muchi 3254
muda ni suru 3207
mugi 3246
muji (no) 2139
mukade 475
mukaeru 3237
mukashi 63, 2039
mukashi mukashi 1948
mukoo 15
mukoozune 2599
muku 2072
mukudori 2797
mune 504
mura 3158
murasaki-iro 2292
mure 1315, 1027
muryoku (na) 1309
mushi 372
mushi suru 1891
mushi-megane 1715
mushiru 2163
musubi-me 1546
musubu 2997
musuko 2725
musume 734
muttsu 2654
muttsu-me 2655
muuru-gai 1864
muusu 1833
myaku 2280
myooji 2879

n

nabe 463, 2007, 2212
nadare 132
nagagutsu 308
nagai 1685
nagaisu 637
nagameru 1686
nagamochi suru 1580
nagare 704
nagareru 1031
nagashi 2648
nageru 1403, 2132, 2986, 3035
naguru 2284
nai 77, 981, 1894, 1901, 1919
naifu 1542

naifu-fooku-rui 713
naifutogi 2585
nairon 1926
naka 61, 1455, 1445
nakama 594, 595
naki-sakebu 3182
naku 689, 3182, 3234, 3253
nakunaru 2478
nakusu 1690
nama 2354
namae 1873
namakemono 1596
namakeru 1694
namanurui 1702
nameraka (na) 2704
nameru 1630
nami 3217, 2432
namida 2946
nampasen 2605
nana 2570
nanabam-me 2571
nanakakkee 1313
naname (no) 2673
nanatsu 2570
nanatsu-me 2571
nandemo 76
nani 3245
nankyoku 72
naoru 699, 1290, 2375
naosu 1010, 2399
napukin 1874
naranda 2462
narasu 2426
narau 1602
nareta 2923
narihibiku 2059
naru 212, 3103
nashi 2061
nasu 877
nasuritsukeru 2700
natsu 2867
nawa 626, 2455
naya 177
nayamasu 2091
nazonazo 2418
nazoru 3043
ne 2454
nedan 2236
negai 3287
neji 2539
nejimawashi 2540

nejiru 3117
neko 457
nemui 840, 2680
nemuru 2678
nemutte iru 111
nendo 540, 2150
nenrei 30
nenryoo 1083
nenryoo o kuberu 2824
nerau 35
neriko 807
netsu 980
nezumi 2348
nezumi-iro 1202
-ni tsuite 2, 26
ni o tsumu 1672
ni o orusu 3132
ni 1429, 3118
ni-gatsu 971
nibai 3112
nibam-me 2554
nibui 293
nichibotsu 2873
nichiyoobi 2869
nido 3112
nigai 258
nigeru 908, 1023, 2476
nigiru 559
niguruma 450
niji 2338
nikibi 2122
nikkeru 1908
nikki 761
niku 1025, 1762
nikuya 394
nimotsu 1701
nin'niku 1107
ningyo 1774
ningyoo 800
ninjin 448
ninki 2199
ninshin suru 2228
nioi 1937
nioi o kagu 2701
niou 2821
nire 888
niru 301
nisemono 944
nishi 3240
nishiki-hebi 2304
nishin no kunsee 1533

nishin 1320
nisshoku 873
nisu o nuru 3142
niwa 3321
niwatori 508, 1312
niya niya suru 1205
no-usagi 1269
nobasu 2849
nobasu 2299
noboru 544, 1160, 2433
nodo 2984
nodo ni hikkakaru 523
nodo o narasu 2293
nodo ga kawaite iru 2977
nokku suru 1545
nokogiri 2509
nombiri suru 2393
nomi 518
nomi 1022
nomikomu 2884
nomimono 828
nomu 829
noo 331
noofu 958
noojoo 957
noosan-butsu 2252
nori 1156
noriageru 32
norikumi'in 668
norimono 3146
noru 1131, 1844, 2419
nugu 1938, 3127
nui-me 2547
nuigurumi 2058
numa 1741
nuno 550
nurasu 3242
nurete iru 725, 3241
nurigusuri 1943
nuritate 1997
nuru 1998, 2700, 2771
nuru nuru shita 2685
nusumu 2805
nuu 2573
nyuubachi 1835
nyuugyoo 721
nyuusu 1903

O

o-ushi 375
oashisu 1929
obaasan 1182
obake 1134
obake-yashiki 1280
obasan 127
oboeru 1746
oboete iru 2395
obon 3062
ochiru 830, 946, 948 1975
ochitsuite iru 412
odokasu 1074, 2519
odoriba 1568
odorokasu 114
oeru 995
ogakuzu 2511
ogawa 356, 667, 2845
oi 1896
oihagi 2440
oikakeru 495
oishii 2939
oite iku 838
oitsuku 460
ojiisan 1181
ojisan 3123
oka 1333
okaasan 1839
okane 1824
okashi (na) 1089
okashi 2043
oke 3079
okiru 1133
okorippoi 2955
okoru 1265
okosu 3185
okotte iru 65
oku 1605, 2297
okubyoo-mono 651
okunai 1434
okuraseru 2299
okurimono 1136, 2230
okuru 2564
okusan 3267
okyakusan 708, 1224
omedetoo 612
omocha 30442
omoi 1299
omoidasu 2368

CONCORDANCE

Hiragana, Kanji and Romaji Scripts

To assist learners of Japanese, we have prepared a concordance of Hiragana, Kanji and Romaji scripts for the terms in this dictionary. Note that a few Hiragana terms have no Kanji or no Romaji equivalents.

The concordance is organized like the dictionary, and runs from term #1 to term #3336. Where applicable, you will find the Kanji and Romaji terms provided for each Hiragana term.

Remember to use the separate Romaji and Hiragana alphabetical indexes to help locate the English terms in this book.

TERM #	HIRAGANA	KANJI	ROMAJI
1	そろばん	算盤	soroban
2	そのことについて はなして ください。 いちじかん ぐらい かかります。 *Tell me about it. It takes about an hour.*	そのことについて話してください。 一時間ぐらいかかります。	-ni tsuite gurai
3	あたまのうえ	頭の上	ue
4	けっせき	欠席	kesseki
5	アクセル		akuseru
6	はじめの おんせつに アクセントを つけて ください。 *Put the accent on the first syllable.*	初めの音節にアクセントを付けてください。	akusento
7	じこ	事故	jiko
8	アコーディオン		akoodion
9	せめる	責める	semeru
10	エース		eesu
11	あたまが いたい。	頭が痛い。	itai
12	さん	酸	san
13	どんぐり		donguri
14	アクロバット		akurobatto
15	みちの むこうに すんでいます。 はらっぱを よこぎります。 *He lives across the street. She ran across the fields.*	道の向こうに住んでいます。 原っぱを横切ります。	mukoo yokogiru
16	たす	足す	tasu
17	じゅうしょ	住所	juusho
18	かいぐんたいしょう	海軍大将	kaigun taishoo
19	ドンぱりサが だいすき。	ドンぱりサが大好き。	daisuki
20	せいじん、おとな	成人、大人	seejin otona
21	まえにすすむ	前に進む	susumu

TERM #	HIRAGANA	KANJI	ROMAJI
22	せが たかいほうが ゆうり。	背が高い方が有利。	yuuri
23	ジェリーの おかあさんは ぼうけんが すき。	冒険	booken
24	こわい	こわい	kowai
25	アフリカ		afurika
26	ばんごはんのあとで あそんでもいいですか。 わたしのあとについて いって下さい。 *Can we play after dinner? Repeat after me!*	晩ご飯の後で遊んでもいいですか。 わたしのあとについて言う	ato de -ni tsuite
27	ごご	午後	gogo
28	またあそぼうよ。 またきみのばんだよ。 *Let's play again. It is your turn again.*	また遊ぼうよ。 また君の番だよ。	mata
29	こする	こする	kosuru
30	とし、ねんれい	歳(年)、年齢	toshi nenrei
31	きびきびしたひと	動作のきびきびした人	kibi kibi shita
32	あんしょうにのりあげる	暗礁に乗り上げる	noriageru
33	ヘレンはトムのまえのほうにすわります。 おさきにどうぞ。 *Helen sits ahead of Tom. Please go ahead.*	ヘレンはトムの前の方に座ります。 お先にどうぞ。	mae saki
34	たすける	助ける	tasukeru
35	ねらう	狙う	nerau
36	くうき、そら	空気、空	kuuki sora
37	エアマット		eamatto
38	みっぺいした いれもの	密閉した入れ物	mippee shita
39	ひこうき	飛行機	hikooki
40	くうこう	空港	kuukoo

TERM #	HIRAGANA	KANJI	ROMAJI
41	つうろ	通路	tsuuro
42	めざましどけい	目覚まし時計	mezamashi-dokei
43	アルバム		arubamu
44	いえにひがつく。	家に火がつく。	hi ga tsuku
45	いきている	生きている	ikite iru
46	ぜんぶ	全部	zembu
47	ろじのねこ	路地の猫	roji
48	わに	鰐	wani
49	アーモンド		aamondo
50	ほとんど		hotondo
51	なぜひとりでいるの？	なぜ一人でいるの？	hitori de
52	かいがんにそってあるく	海岸にそって歩く。	(ni) sotte
53	おおきなこえで	大きな声で	ookina koe de
54	アルファベット		arufabetto
55	もういかなくちゃならないの？	もう行かなくちゃならないの？	moo
56	だいじょうぶだよ。	大丈夫だよ。	daijoobu
57	わたしもほしい。		mo
58	アルミのはしご		arumi
59	いつもころぶ	いつも転ぶ	itsumo
60	きゅうきゅうしゃ	救急車	kyuukyuusha
61	ひつじのなかのおおかみ	羊の中の狼	naka
62	いかり	錨	ikari
63	むかしのしろのあと	昔の城の跡	mukashi (no)
64	かくど	角度	kakudo
65	おこっている	怒っている	okotte iru
66	どうぶつ	動物	doobutsu
67	くるぶし、あしくび	足首	kurubushi ashikubi
68	アナウンスする		anaunsu suru
69	もうひとつのサンドイッチ	もう一つのサンドイッチ	moo hitotsu
70	こたえは……。	答えは……。	kotae
71	あり	蟻	ari

TERM #	HIRAGANA	KANJI	ROMAJI
72	なんきょく	南極	nankyoku
73	かもしか		kamoshika
74	しかのつの	しかの角	tsuno
75	おかねがまったくない。	お金が全くない。	mattaku....nai
76	なんでもたべる	何でも食べる	nandemo
77	どこへもいかない。	どこへも行かない。	doko e mo....nai
78	ひとつぶぶさからはなれる。	一つぶ房から離れる。	hanareru
79	さる、るいじんえん	猿、類人猿	saru / ruijin'en
80	みつばちをかうところ。ようほうじょう	蜜蜂を飼うところ、養蜂場	mitsubachi o kau tokoro / yoohoojoo
81	ちゃんとあやまりなさい。	ちゃんと謝りなさい。	ayamaru
	おくれてどうもすみません。 *You should apologize. I apologize for being late.*	遅れてどうもすみません。	sumimasen
82	てじなしのぼうしからうさぎがあらわれました。じょうおうがテレビにでました。 *A rabbit appeared from the magician's hat. The Queen appeared on television.*	手品師の帽子から兎が現れました。女王がテレビに出ました。	arawareru / deru
83	はくしゅする	拍手する	hakushu suru
84	りんご		ringo
85	りんごのしん		ringo no shin
86	ちかづく	近付く	chikazuku
87	あんず		anzu
88	しがつ	四月	shigatsu
89	エプロン、まえかけ	前掛け	epurcu / maekake
90	すいぞくかん	水族館	suizok(u)kan
91	アーチ		aachi
92	けんちくか	建築家	kenchikuka

TERM #	HIRAGANA	KANJI	ROMAJI
93	ほっきょく	北極	hokkyoku
94	ぎろんする	議論する	giron suru
95	うで	腕	ude
96	ひじかけいす		hijikake isu
97	よろい		yoroi
98	わきのした	脇の下	waki no shita
99	おひるごろつきます。	お昼ごろ着きます。	goro
	We will be there around noon.		
	バスは まちを ぐるりと まわりました。	バスは町をぐるりとまわりました。	gururi to
	The bus drove around the town.		
100	はなをいける	花を生ける	ikeru
101	たいほする	逮捕する	taiho suru
102	つく	着く	tsuku
103	や	矢	ya
104	アーティチョーク、ちょうせんあざみ	朝鮮あざみ	aatichooku choosen azami
105	げいじゅつか	芸術家	geejutsuka
106	えのように うつくしい。	絵のように美しい。	yoo ni
	ただしは おにいさんと おなじぐらい せがたかいです。	正しはお兄さんと同じくらい背が高いです。	onajigurai
	As pretty as a picture		
	Tadashi is as tall as his older brother.		
107	はい	灰	hai
108	はいざら	灰皿	haizara
109	アジア		ajia
110	みちをきく	道を聞く	kiku
111	メアリーとブラッフィは よく ねむっている。	メアリーとブラッフィはよく眠っている。	nemuru
112	アスパラガス		asuparagasu
113	アスピリン		asupirin
114	パトリックは ジーンを おどろかした。	パトリックはジーンを驚かした。	odorokasu

TERM #	HIRAGANA	KANJI	ROMAJI
115	うちゅうひこうし	宇宙飛行士	uchuu hikooshi
116	てんもんがくしゃ	天文学者	tem'mon gakusha
117	ヘレンは おとうさんと いえに います。	ヘレンはお父さんと家にいます。	
	しゃしんを みている ところです。	写真を見ているところです。	
	Helen is at home with her dad.		
	They are looking at the photo.		
118	うんどうせんしゅ	運動選手	undoo senshu
119	ちず、ちずちょう	地図、地図帳	chizu chizuchoo
120	ちきゅうをとりまく きたい	地球を取り巻く気体	kitai
121	げんし	原子	genshi
122	つける、はめる	付ける、嵌める	tsukeru hameru
123	ちゅういしなさい。	注意しなさい。	chuui suru
124	やねうら	屋根裏	yaneura
125	かんきゃく	観客	kankyaku
126	はちがつ	八月	hachigatsu
127	おばさん		obasan
128	オーストラリア		oosutoraria
129	さっか	作家	sakka
130	じどう	自動	jidoo
131	あき	秋	aki
132	なだれ	雪崩	nadare
133	アボカド		abokado
134	めがさめている	目が覚めている	me ga samete iru
135	かのじょは どこかに いっています。	彼女はどこかに行っています。	
136	ひどいにおい		hidoi
137	ぶかっこうなひと	不格好なひと	bukakkoo (na)
138	おの	斧	ono
139	しゃりんのじく	車輪の軸	jiku

Left Table

TERM #	HIRAGANA	KANJI	ROMAJI
140	あかちゃん、あかんぼう	赤ちゃん、赤んぼう	akachan akamboo
141	うばぐるま	乳母車	ubaguruma
142	せなかをかく	背中を掻く	senaka
143	バックする		bakku suru
144	ベーコンエッグ		beekon
145	わるい、いたんだ	悪い、傷んだ	warui itanda
146	バッジ		bajji
147	ふくろのなか	袋のなか	fukuro
148	えさ	餌	esa
149	やく	焼く	yaku
150	パンやさん	パン屋さん	pan'ya-san
151	パンや	パン屋	pan'ya
152	バランスがいい		baransu
153	バルコニー		barukonii
154	はげている	禿げている	hagete iru
155	ボール		booru
156	バレリーナ		bareriina
157	バレー		baree
158	ふうせん	風船	fuusen
159	ききゅう	気球	kikyuu
160	バナナ		banana
161	ヘアーバンド		heaa-bando
162	バンド		bando
163	ほうたい	包帯	hootai
164	ばんばんたたく、うつ	叩く、打つ	tataku utsu
165	てすり、らんかん	手摺り、欄干	tesuri rankan
166	ぎんこう	銀行	ginkoo
167	てつのぼう	鉄の棒	tetsu no boo
168	バー		baa
169	てつじょうもう	鉄条網	tetsujoomoo
170	りはつし、とこや	理髪師、床屋	rihatsushi tokoya

Right Table

TERM #	HIRAGANA	KANJI	ROMAJI
171	はだし	裸足	hadashi
172	やすうり、バーゲン	安売り	yasu'uri baagen
173	うんかせん	運貨船	unkasen
174	ほえる	吠える	hoeru
175	きのかわ	木の皮	ki no kawa
176	おおむぎ	大麦	oomugi
177	なや	納屋	naya
178	バラック、へいえい	兵営	barakku hei'ei
179	たる	樽	taru
180	じゅうしん	銃身	juushin
181	ヘヤクリップ		heyakurippu
182	バリヤード、さく	柵	bariyaado saku
183	どだい	土台	dodai
184	ベース		beesu
185	やきゅう	野球	yakyuu
186	ちかしつ	地下室	chikashitsu
187	バゼル		bazeru
188	バスケット、かご	籠	basuketto kago
189	バスケットボール		basuketto booru
190	バット		batto
191	こうもり	蝙蝠	koomori
192	(お)ふろにはいる	(お)風呂に入る	(o)furo ni hairu
193	(お)ふろば	(お)風呂場	(o)furoba
194	ゆぶね	湯ぶね	yubune
195	バッテリー、でんち	電池	batterii denchi
196	わん、いりえ	湾、入江	wan irie
197	ベイリーフ		bei riifu
198	バザー		bazaa

TERM #	HIRAGANA	KANJI	ROMAJI
199	ぼくはカナダじんです。トムとボブはともだちです。アシュレイはいしゃにむりたいのです。 I am a Canadian. Tom and Bob are friends. Ashley wants to be a doctor.		
200	かいがん、うみべ	海岸、海辺	kaigan umibe
201	ビーズ		biizu
202	くちばし	嘴	kuchibashi
203	こうせん	光線	koosen
204	まめ	豆	mame
205	くま	熊	kuma
206	ひげ	髭	hige
207	けもの	獣	kemono
208	うつ	打つ	utsu
209	うつくしい、きれい(な)	美しい	utsukushii kiree (na)
210	ビーバー		biibaa
211	ねこがしんだので…。	猫が死んだので…。	node
212	けむしがちょうちょうになる。		naru
213	ベッド		beddo
214	ベッドのランプ		rampu
215	ベッドルーム、しんしつ	寝室	beddo ruumu shinshitsu
216	はち	蜂	hachi
217	ぶな		buna
218	みつばちのす(ばこ)	蜜蜂の巣(箱)	mitsubachi no su(bako)
219	ビール		biiru
220	ビート		biito
221	かぶともし	かぶと虫	kabutomushi
222	しょくじをするまえに てをあらいなさい。	食事をする前に手を洗いな さい。	mae ni
223	こじき	乞食	kojiki

TERM #	HIRAGANA	KANJI	ROMAJI
224	アシュレイのピアノのレッスンは10じにはじまります。トムのピアノのレッスンは9じにはじまります。 Ashley's piano lesson begins at ten o'clock. Tom's piano lesson begins at nine o'clock.	始まる	hajimaru
225	アリスはぎょうぎがいい。	行儀がいい	gyoogi ga ii
226	きのうしろ	後ろ	ushiro
227	ベージュ		beeju
228	しんじる	信じる	shinjiru
229	ベル、かね	鐘	beru kane
230	へそ	臍	heso
231	わたしのもの	私の物	
232	テーブルのした	下	shita
233	ベルト		beruto
234	ベンチ		benchi
235	みちがまがっている。	道が曲がっている	magatte iru
236	まげる	曲げる	mageru
237	ベレーぼう	ベレー帽	beree-boo
238	きのそば	木の側(傍)	soba
239	デパートのほかに なにか たべませんか？ Should you eat something besides dessert?	他(外)に	hoka ni
240	いちばん、さいこう	一番、最高	ichiban saikoo
241	シーラはトムよりよくうたえます。やろうとおもえばトムはもっとよくできます。 Sheila can sing better than Tom. Tom can do better if he tries to.		yoku motto yoku

TERM #	HIRAGANA	KANJI	ROMAJI
242	いわといわのあいだ	岩と岩の間	aida
243	よだれかけ	よだれ掛け	yodarekake
244	じてんしゃ	自転車	jitensha
245	おおきい	大きい	ookii
246	じてんしゃ	自転車	jitensha
247	(お)さつ、しへい	(お)札、紙幣	(o)satsu shihee
248	こうこくばん	広告板	kookokuban
249	たまつき、ビリヤード	玉突き	tamatsuki biriyaado
250	しばる	縛る	shibaru
251	そうがんきょう	双眼鏡	soogankyoo
252	とり	鳥	tori
253	アシュレイは うまれたと き7ポンドでした。 Ashley weighed seven pounds at birth. The cat gave birth to four little kittens.	生まれる	umareru
	ねこは こねこを 4 ひきを うみました。	生む	umu
254	たんじょうび	誕生日	tanjoobi
255	ビスケット		bisuketto
256	かむ	噛む	kamu
257	ひとくち	一口	hitokuchi
258	ビールは にがいです。 それは つらいけいけんで した。 Beer has a bitter taste. It was a bitter experience.	苦い	nigai
		辛い	tsurai
259	くろい、くろ	黒い、黒	kuroi kuro
260	ブラックベリー		burakku-berii
261	ブラックバード		burakku-baado
262	こくばん	黒板	kokuban
263	くろすぐり	黒すぐり	kurosuguri

TERM #	HIRAGANA	KANJI	ROMAJI
264	かじや	鍛冶屋	kajiya
265	かたなの刃	刀の刃	ha
266	おとうさんは アシュレイ のせいにしましたが、ほ んとうは クリスが わる いのです。 Dad blamed Ashley, but Dad should blame Chris.		see ni suru
267	くうはくのページ	空白	kuuhaku
268	ブランケット、もうふ	毛布	buranketto moofu
269	ばくはつ	爆発	bakuhatsu
270	ばくはする	爆破する	bakuha suru
271	ほのお	炎	hono'o
272	ブレザー		burezaa
273	ひょうはくざい	漂白剤	hyoohakuzai
274	ちがでる、 しゅっけつする	血が出る、出血する	chi ga deru shukketsu suru
275	ミキサー、ブレンダー		mikisaa burendaa
276	めのみえないひと、 もうじん	目の見えない人、盲人	me no mienai hito moojin
277	まばたきをする	瞬きをする	mabataki suru
278	みずぶくれ	水ぶくれ	mizubukure
279	ふぶき	吹雪	fubuki
280	つみき	積み木	tsumiki
281	ブロック		burokku
282	ブロックする、さえぎる	遮る	burokku suru saegiru
283	ブロンド、きんぱつ	金髪	burondo kimpatsu
284	ち	血	chi
285	はな	花	hana
286	はながさく	花が咲く	saku
287	インクのしみ	インクの染み	shimi
288	ブラウス		burausu
289	あたまをうつ	頭を打つ	utsu

TERM #	HIRAGANA	KANJI	ROMAJI
330	スーはあたらしいおもちゃのじまんをします。スーのおとうさんはスーにじまんしてはいけないといいます。 *Sue brags about her new toys. Her dad tells her not to brag.*	自慢する	jiman o suru
331	のう	脳	noo
332	ブレーキ		bureeki
333	ブレーキをかける	ブレーキを掛ける	bureeki o kakeru
334	えだ	枝	eda
335	はいしゃさんが、アシュレイはゆうかんだといいました。 *The dentist says Ashley is brave.*	勇敢	yuukan (na)
336	パン		pan
337	こわす	壊す	kowasu
338	こわれる、こしょうする	壊れる、故障する	kowareru koshoo suru
339	おしいりごうとうをする	押し入り強盗をする	oshi'iri gootoo
340	あさごはん、ちょうしょく	朝ご飯、朝食	asagohan chooshoku
341	いき	息	iki
342	いきをする	息をする	iki o suru
343	れんが	煉瓦	renga
344	れんがしょくにん	煉瓦職人	renga shokunin
345	はなよめ、およめさん	花嫁、お嫁さん	hanayome oyomesan
346	はなむこ、おむこさん	花婿、お婿さん	hanamuko omukosan
347	はし	橋	hashi
348	うまのくつわ	馬の轡	kutsuwa
349	ブリーフケース、かばん		buriifu keesu kaban
350	あかるいたいよう	明るい太陽	akarui taiyoo
351	もってくる	持ってくる	motte kuru

TERM #	HIRAGANA	KANJI	ROMAJI
352	かえしにくる	返しに来る	kaeshi ni kuru
353	こわれやすいガラス	壊れやすいガラス	koware-yasui
354	ブロッコリー		burokkorii
355	ブローチ		buroochi
356	おがわ	小川	ogawa
357	ほうき	箒	hooki
358	おとうと	弟	otooto
359	まゆげ	眉毛	mayuge
360	ちゃいろ	茶色	chairo
361	きず、うちみ	傷、打ち身	kizu uchimi
362	ブラシでとかす		tokasu
363	ブラシ		burashi
364	ペンキようのはけ	ペンキ用の刷毛	hake
365	はブラシ	歯ブラシ	haburashi
366	めキャベツ	芽キャベツ	mekyabetsu
367	あわ	泡	awa
368	バケツ		baketsu
369	バックル		bakkuru
370	つぼみ	蕾	tsubomi
371	バッファロー、すいぎゅう	水牛	baffaroo suigyuu
372	むし	虫	mushi
373	らっぱ	喇叭	rappa
374	たてる	建てる	tateru
375	おうし	雄牛	o-ushi
376	ブルトーザー		burutoozaa
377	てっぽうのたま	鉄砲の玉	tama
378	メガホン、かくせいき	拡声器	megahon kakuseeki
379	いじめっこ	苛めっ子	ijimekko
380	こぶ	瘤	kobu
381	バンパー		bampaa
382	アスパラガスひとたば	一束	taba

TERM #	HIRAGANA	KANJI	ROMAJI
383	たば	束	taba
384	ブイ		bui
385	どろぼう	泥棒	doroboo
386	もえる	燃える	moeru
387	はれつする	破裂する	haretsu suru
388	うめる	埋める	umeru
389	バス		basu
390	バステい	バス停	basutee
391	やぶ	藪	yabu
392	いそがしい	忙しい	isogashii
393	いきたいけれども、ぼくはいそがしいです。 ぼーるはおおきいが、いもうとのほうがもっとおおきいです。 I would like to go, but I am busy. Paul is big, but his younger sister is bigger.		keredomo ga
394	にくや	肉屋	nikuya
395	バター		bataa
396	ちょうちょ(う)	蝶々	choocho(o)
397	ボタン		botan
398	かう	買う	kau
399	キャベツ		kyabetsu
400	やまごや	山小屋	yamagoya
401	とだな、キャビネット	戸棚、	todana kyabinetto
402	ケーブル		keeburu
403	さぼてん	仙人掌	saboten
404	かご	籠	kago
405	ケーキ		keeki
406	けいさんき	計算機	keesanki
407	カレンダー、こよみ	暦	karendaa koyomi
408	こうし	子牛	ko-ushi

TERM #	HIRAGANA	KANJI	ROMAJI
409	よぶ	呼ぶ	yobu
410	あめなら ピクニックは ちゅうしです。 アシュレイは どうぶつえんいきを とりやめました。 We will call off the picnic if it rains. Ashley has called off our trip to the zoo.	中止 取り止める	chuushi toriyameru
411	(でんわで)よびだす	(電話で)呼び出す	yobidasu
412	おちついている	落ち着いている	ochitsuite iru
413	らくだ	駱駝	rakuda
414	カメラ		kamera
415	キャンプする		kyampu suru
416	キャンプじょう	キャンプ場	kyampujoo
417	かん、かんづめ	缶、缶詰	kan kanzume
418	かんきり	缶切り	kankiri
419	うんが	運河	unga
420	カナリヤ		kanariya
421	ろうそく	蝋燭	roosoku
422	ろうそくたて、しょくだい	蝋燭立て、燭台	roosoku-tate shokudai
423	あめ	飴	ame
424	つえ	杖	tsue
425	たいほう	大砲	taihoo
426	みることができない	見ることが出来ない	miru koto ga dekinai
427	カヌー		kanuu
428	カンタローブ (メロンのいっしゅ)	メロンの一種	kantaroopu
429	きょうこく	峡谷	kyookoku
430	ぼうし	帽子	booshi
431	みさき	岬	misaki
432	ケープ		keepu
433	おおもじ	大文字	oomoji

TERM #	HIRAGANA	KANJI	ROMAJI
434	きゃプテン、せんちょう	船長	kyaputen senchoo
435	つかまえる、とる	捕まえる。捕る	tsukamaeru toru
436	くるま、じどうしゃ	車、自動車	kuruma jidoosha
437	キャラバン		kyaraban
438	トランプ		torampu
439	ボールがみ	ボール紙	boorugami
440	めんどうをみる	面倒を見る	mendoo o miru
441	ふちゅうい	不注意	fuchuui
442	つみに	積み荷	tsumini
443	カーネーション		kaaneeshon
444	カーニバル		kaanibaru
445	だいく	大工	daiku
446	カーペット、じゅうたん	絨毯	kaapetto juutan
447	うばぐるま	孔母車	ubaguruma
448	にんじん	人参	ninjin
449	はこぶ	運ぶ	hakobu
450	カート、にぐるま	荷車	kaato niguruma
451	ボールばこ	ボール箱	boorubako
452	きる	切る	kiru
453	ケース、はこ、トランク	箱	keesu hako toranku
454	げんきん	現金	genkin
455	カシューナッツ		kashuunattsu
456	しろ	城	shiro
457	ねこ	猫	neko
458	カタログ		katarogu
459	つかむ、うけとめる	摑む、受け止める	tsukamu uketomeru
460	おいつく	追い付く	oitsuku
461	けむし	毛虫	kemushi

TERM #	HIRAGANA	KANJI	ROMAJI
462	うし、かちく	牛、家畜	ushi kachiku
463	おおなべ	大鍋	oonabe
464	カリフラワー		karifurawaa
465	きへいたい	騎兵隊	kiheetai
466	はらあな	洞穴	hora'ana
467	てんじょう	天井	tenjoo
468	いわう	祝う	iwau
469	セロリ		serori
470	さいぼう	細胞	saiboo
471	ちかしつ	地下室	chikashitsu
472	セメント		semento
473	ちゅうしん	中心	chuushin
474	1メートル＝100センチ		senchi
475	むかで	百足	mukade
476	いっせいきは ひゃくねんです。 A century has one hundred years.	世紀	seeki
477	シリアル		shiriaru
478	いえをでるとき、ドアにかぎをかけたのは たしかです。 I am certain that I locked the door when leaving the house.	確か	tashika
479	しょうめいしょ	証明書	shoomeesho
480	チェーン、くさり	鎖	cheen kusari
481	チェーンソー		cheen-soo
482	いす	椅子	isu
483	チョーク		chooku
484	チャンピオン		champion
485	こぜに	小銭	ko-zeni
486	かえる	替える	kaeru
487	すいろ	水路	suiro

TERM #	HIRAGANA	KANJI	ROMAJI
488	しょう	章	shoo
489	アシュレイは せいかくが ついです。（せいかく）	性格	seekaku
	この字は どういういみで すか。 *Ashley has a strong character.* *What does this (printed) character mean?*	字	ji
490	すみ	炭	sumi
491	ふだんそう	ふだん草	fudansoo
492	けいさつは スパットを こうとうで きそしまし た。（きそする）	起訴する	kiso suru
	でんちを じゅうでんする のを わすれました。 *The police charged Spud with robbery.* *I forgot to charge the battery.*	充電する	juuden suru
493	せんしゃ	戦車	sensha
494	ずひょう	図表	zuhyoo
495	おいかける	追いかける	oikakeru
496	しゃべる、おしゃべりする	喋る	shaberu oshaberi suru
497	やすいえんぴつ	安い鉛筆	yasui
498	カンニングする		kan'ningu suru
499	けさ おべんとうばこを しらべましたか。（しらべる）	調べる	shiraberu
	いりぐちで コートを あずけてください。 *Did you check your lunchbox this morning?* *Check your coat at the entrance, please.*	頂ける / 預ける	azukeru
500	ほほ、ほお	頬	ho(h)o
501	チーズ		chiizu
502	こぎって	小切手	kogitte
503	さくらんぼ		sakurambo

TERM #	HIRAGANA	KANJI	ROMAJI
504	むね	胸	mune
505	くり	栗	kuri
506	かむ	噛む	kamu
507	チックピー、エジプトまめ	エジプト豆	chikkupii ejiputo mame
508	にわとり、とり	鶏	niwatori tori
509	みずぼうそう	水疱瘡	mizuboosoo
510	ちょう（けいさつ、ぐんたいの）	長	-choo
511	こども	子供	kodomo
512	はだざむい	肌寒い	hada-zamui
513	えんとつ	煙突	entotsu
514	チンパンジー		chimpanjii
515	あご	顎	ago
516	せともの、とうじきを	瀬戸物、陶磁器	setomono toojiki
517	こっぱ		koppa
518	のみ	鑿	nomi
519	チャイブ		chaibu
520	チョコレート		chokoreeto
521	クワイヤー、せいかたい	聖歌隊	kuwaiyaa seekatai
522	いきがつまる	息が詰まる	iki ga tsumaru
523	のどにひっかかる	喉にひっかかる	nodo ni hikkakaru
524	えらぶ	選ぶ	erabu
525	きざむ	刻む	kizamu
526	はし	箸	hashi
527	クローム		kuroomu
528	きく	菊	kiku
529	せきたんのかたまり	石炭の塊	katamari
530	はまき	葉巻	hamaki
531	たばこ	煙草	tabako
532	まる、えん	丸、円	maru en

TERM #	HIRAGANA	KANJI	ROMAJI
533	サーカス		saakasu
534	とし	都市	toshi
535	はまぐり	蛤	hamaguri
536	まんりき	万力	manriki
537	てをたたく、はくしゅする	手を叩く、拍手する	te o tataku hakushu suru
538	きょうしつ	教室	kyooshitsu
539	(かにの)つめ、はさみ	爪	tsume hasami
540	ねんどはれんがをつくるのにつかわれます。 *Clay is used to make bricks.*		nendo
541	せいけつ、きれい	清潔	seeketsu
542	かたづける	片付ける	katazukeru
543	がけ、ぜっぺき	崖、絶壁	gake zeppeki
544	いわをのぼる	登る	noboru
545	しんりょうじょ、クリニック	診療所	shinryoojo kurinikku
546	きる	切る	kiru
547	とけい	時計	tokee
548	とじる	閉じる	tojiru
549	クローゼット、ようふくだんす	洋服箪笥	kuroozetto yoofuku-dansu
550	ようふくはきれでつくります。 *Clothes are made of cloth.*	布	kire nuno
551	ようふく、いふく	洋服、衣服	yoofuku ifuku
552	ものほしづな	物干し綱	monohoshi-zuna
553	くも	雲	kumo
554	クローバー		kuroobaa
555	どうけし	道化師	dookeshi
556	こんぼう	棍棒	komboo

TERM #	HIRAGANA	KANJI	ROMAJI
557	けいさつはそのはんざいのてがかりをつかみました。 ヒントをあげましょう。 *The police found a clue to the crime. I will give you a clue.*	手掛かり	tegakari hinto
558	クラッチ		kuratchi
559	つかむ、にぎる	掴む、握る	tsukamu nigiru
560	コーチ		koochi
561	おおがたバス	大型バス	oogata-basu
562	プリシラはしゅうにかいチームのコーチをしています。 *Priscilla coaches the team twice a week.*		koochi (o) suru
563	せきたん	石炭	sekitan
564	このきれはざらざらしています。 あらっぽいことばをつかってはいけません。 *This cloth is coarse. Do not use coarse language.*	荒っぽい	zara zara shita arappoi
565	かいがん	海岸	kaigan
566	あたたかいコート		kooto
567	くものす	蜘蛛の巣	kumo no su
568	ココア		kokoa
569	ココナッツ、やしのみ	椰子の実	kokonattsu yashi no mi
570	たら	鱈	tara
571	コーヒー		koohii
572	ひつぎ、(お)かん、かんおけ	棺、(お)棺、棺桶	hitsugi (o)kan kan'oke
573	コイル		koiru
574	こうか、コイン	硬貨	kooka koin

TERM #	HIRAGANA	KANJI	ROMAJI
575	さむい	寒い	samui
576	えり	衿	eri
577	あつめる	集める	atsumeru
578	カレッジ		karejji
579	しょうとつする、ぶつかる	衝突する	shoototsu suru / butsukaru
580	しょうとつ	衝突	shoototsu
581	いろ	色	iro
582	こうま（おす）	子馬(牡)	ko-uma
583	えんちゅう	円柱	enchuu
584	くし	櫛	kushi
585	かみをとかす	髪をとかす	tokasu
586	あわせる	合わせる	awaseru
587	くる / アシュレイはバスでパーティーにきました。 ここによくきますか。 *Ashley came to the party by bus. Do you come here often?*	来る	kuru
588	とれる	取れる	toreru
589	いしきがもどる	意識がもどる	ishiki ga modoru
590	らく（な）、かいてき（な）	楽(な)、快適(な)	raku (na) / kaiteki (na)
591	コンマ		komma
592	めいれいする	命令する	meeree suru
593	コミニティー / わたしたちはちいさいコミニティーにすんでいます。 コミニティーセンターにプールがあります。 *We live in a small community. There is a pool at the community center.*		kominitii
594	なかま	仲間	nakama
595	なかまといっしょ	仲間といっしょ	nakama to issho
596	くらべる	比べる	kuraberu

TERM #	HIRAGANA	KANJI	ROMAJI
597	コンパス、じしゃく	磁石	kompasu / jishaku
598	さっきょくする	作曲する	sakkyoku suru
599	さっきょくか	作曲家	sakkyoku-ka
600	さっきょく	作曲	sakkyoku
601	コンピュータ		kompyuuta
602	しゅうちゅうする	集中する	shuuchuu suru
603	コンサート		konsaato
604	コンクリート		konkuriito
605	しきしゃ	指揮者	shikisha
606	しゃしょう	車掌	shashoo
607	えんすい	円錐	ensui
608	アイスクリーム・コーン		aisukuriimu-koon
609	まつぼっくり	松ぼっくり	matsubokkuri
610	じしんがある	自信がある	jishin ga aru
611	わからなくなる、こんらんする	分からなくなる、混乱する	wakaranaku naru / konran suru
612	おめでとうという、いわう	祝う	omedetoo to yuu / iwau
613	つなぐ		tsunagu
614	P, b, t, d, k, g, s, z は しいん です。 *P, b, t, d, k, g, s, z are consonants.*	子音	shi-in
615	けいかん	警官	keekan
616	せいざ	星座	seeza
617	たいりく	大陸	tairiku
618	かいわ	会話	kaiwa
619	コック、りょうりにん	料理人	kokku / ryoori-nin
620	りょうりする	料理する	ryoori suru
621	クッキー		kukkii
622	つめたいみず	冷たい水	tsumetai mizu
623	どう	銅	doo
624	うつす、コピーする	写す	utsusu / kopii suru

TERM #	HIRAGANA	KANJI	ROMAJI
625	さんご	珊瑚	sango
626	コード、なわ	縄	koodo / nawa
627	コルク		koruku
628	(コルクの)せんぬき	(コルクの)栓抜き	sen'nuki
629	とうもろこし		toomorokoshi
630	すみ、かど	隅、角	sumi / kado
631	したい、しがい	死体、死骸	shitai / shigai
632	ろうか	廊下	rooka
633	うちゅうひこうし	宇宙飛行士	uchuu hikooshi
634	いしょう	衣装	ishoo
635	コテージ		koteeji
636	もめん	木綿	momen
637	ながいす	長椅子	nagaisu
638	せきをする	咳をする	seki o suru
639	かぞえる	数える	kazoeru
640	カウンター、けいすうき	計数機	kauntaa / keesuuki
641	カウンター		kauntaa
642	いなか	田舎	inaka
643	くに	国	kuni
644	カップル、ふうふ	夫婦	kappuru / fuufu
645	ゆうき	勇気	yuuki
646	テニスコート		kooto
647	いとこ	従兄弟、従姉妹	itoko
648	カバーする		kabaa suru
649	ふた	蓋	futa
650	めうし	雌牛	me-ushi
651	おくびょうもの	臆病者	okubyoo-mono
652	カーボーイ		kaabooi
653	かに	蟹	kani
654	ひび		hibi

TERM #	HIRAGANA	KANJI	ROMAJI
655	クラッカー		kurakkaa
656	ゆりかご	揺りかご	yurikago
657	つる	鶴	tsuru
658	クレーン		kureen
659	ぶつかる、じこをおこす	事故を起こす	butsukaru / jiko o okosu
660	きのわく	木の枠	waku
661	はう	這う	hau
662	ざりがに		zarigani
663	クレヨン		kureyon
664	おとうさんはコーヒーにクリームをいれてのむのがすきです。 Dad likes cream in his coffee.		kuriimu
665	ズボンのおりめ	ズボンの折り目	orime
666	いきもの	生き物	ikimono
667	おがわ	小川	ogawa
668	(ふねの)のりくみいん	(船の)乗組員	norikumi'in
669	ベビーベッド		bebii-beddo
670	こおろぎ		koorogi
671	はんざいにん	犯罪人	hanzai-nin
672	わに	鰐	wani
673	クロッカス		kurokkasu
674	わるもの	悪者	warumono
675	まがったくい	曲がった杭	magatta
676	ゆがんだえ	歪んだ絵	yuganda
677	しゅうかく	収穫	shuukaku
678	じゅうじか	十字架	juujika
679	わたる、よこぎる	渡る、横切る	wataru / yokogiru
680	けす	消す	kesu
681	からす	鴉	karasu
682	おおぜいのひと	大勢の人	oozee
683	おうかん	王冠	ookan

TERM #	HIRAGANA	KANJI	ROMAJI
684	おういをさずける	王位を授ける	ooi o sazukeru
685	くず	屑	kuzu
686	つぶす	潰す	tsubusu
687	バイのかわ	バイの皮	kawa
688	まつばづえ	松葉杖	matsubazue
689	なく	泣く	naku
690	すいしょうのたま	水晶の王	suishoo
691	こぐま		koguma
692	りっぽうたい、キューブ	立方体	rippootai kyuubu
693	かっこう	郭公	kakkoo
694	きゅうり	胡瓜	kyuuri
695	カフス		kafusu
696	カップ、(お)ちゃわん	(お)茶碗	kappu (o)chawan
697	しょっきだな	食器棚	shokkidana
698	ろかた	路肩	rokata
699	なおる	治る	naoru
700	カールする		kaaru suru
701	ちぢれけ、カーリーヘアー	縮れ毛	chijire-ge kaarii-heaa
702	こうきしんのつよい、しりたがりや(の)	好奇心の強い 知りたがりや(の)	kookishin no tsuyoi shiritagari-ya (no)
703	すぐり		suguri
704	ながれ	流れ	nagare
705	カーテン		kaaten
706	カーブ		kaabu
707	クッション		kusshon
708	おきゃくさん、おきとくいさん	お客さん、お得意さん	okyakusan otokuisan
709	きる	切る	kiru
710	わりこむ	割り込む	warikomu
711	きりとる	切り取る	kiritoru
712	かわいい	可愛い	kawaii
713	ナイフ・フォークるい	ナイフ・フォーク類	naifu-fooku-rui

TERM #	HIRAGANA	KANJI	ROMAJI
714	じてんしゃ	自転車	jitensha
715	シリンダー		shirindaa
716	シンバル		shimbaru
717	いとすぎ	糸杉	itosugi
718	すいせん	水仙	suisen
719	たんとう	短刀	tantoo
720	まいにち(の)	毎日(の)	mainichi (no)
721	にゅうぎょう、らくのう	孔業、酪農	nyuugyoo rakunoo
722	ひなぎく、デージー	雛菊	hinagiku deejii
723	ダム		damu
724	こわれた、そんしょうのある	壊れた、損傷のある	kowareta sonshoo no aru
725	ぬれている		nurete iru
726	ダンスする		dansu suru
727	ダンサー		dansaa
728	たんぽぽ		tampopo
729	きけん	危険	kiken
730	くらい	暗い	kurai
731	ダーツ		daatsu
732	ダッシュボード		dasshu-boodo
733	ひづけ	日付	hizuke
734	むすめ	娘	musume
735	ひ	日	hi
736	しんだねずみ	死んだ鼠	shinda
737	つんぼ	聾	tsumbo
738	したしい	親しい	shitashii
	チャックはしたしいともだちです。 あ、(お)さいふをわすれた。		Chuck is my dear friend. Oh dear, I forgot my wallet.
739	12がつ	12月	juuni-gatsu

TERM #	HIRAGANA	KANJI	ROMAJI
740	アシュレイは なにを き めらいか きめられま せん。 Ashley cannot decide what to wear.	決める	kimeru
741	かんぱん、デッキ	甲板	kampan dekki
742	かざる	飾る	kazaru
743	かざり	飾り	kazari
744	ふかい	深い	fukai
745	しか	鹿	shika
746	はいたつする	配達する	haitatsu suru
747	へこます		hekomasu
748	はいしゃ	歯医者	haisha
749	デパート、ひゃっかてん	百貨店	depaato hyakkaten
750	さばく	砂漠	sabaku
751	つくえ	机	tsukue
752	デザート		dezaato
753	はかいする	破壊する	hakai suru
754	くちくかん	駆逐艦	kuchikukan
755	たんてい	探偵	tantee
756	つゆ	露	tsuyu
757	たいかくせん	対角線	taikakusen
758	ず	図	zu
759	ダイヤモンド		daiyamondo
760	おむつ		omutsu
761	にっき	日記	nikki
762	にしょ、じびき	辞書、字引	jisho jibiki
763	しぬ	死ぬ	shinu

TERM #	HIRAGANA	KANJI	ROMAJI
764	ひるとよると では たいへ んな ちがいが あります。ひとは みんな びょうどうで あって、さは まったく あ りません。 There is quite a difference between night and day. All people are equal, there is no difference between them.	違い 差	chigai sa
765	ちがった、ことなった	違った、異なった	chigatta kotonatta
766	ほる	掘る	horu
767	しょうかする	消化する	shooka suru
768	うすぐらい	薄暗い	usugurai
769	えくぼ	笑くぼ	ekubo
770	ちいさいふね	小さい船	chiisai fune
771	しょくどう	食堂	shokudoo
772	ゆうしょく、ばんごはん	夕食、晩ご飯	yuushoku bangohan
773	きょうりゅう	恐竜	kyooryuu
774	ほうこう	方向	hookoo
775	ほこり	埃	hokori
776	きたない、よごれた	汚い、汚れた	kitanai yogoreta
777	いけんが あわない	意見が合わない	iken ga awanai
778	きえる	消える	kieru
779	さいがい	災害	saigai
780	はっけんする	発見する	hakken suru
781	ぎろんする、はなしあう	議論する、話し合う	giron suru hanashiau
782	びょうき	病気	byooki
783	へんそう	変装	hensoo
784	さら	皿	sara
785	しょうじきではないひと	正直ではない人	shoojiki
786	さらあらいき、しょっきあらいき	皿洗い機、食器洗い機	sara-araiki shokki-araiki
787	きらう	嫌う	kirau

TERM #	HIRAGANA	KANJI	ROMAJI
788	とける	溶ける	tokeru
789	きょり	距離	kyori
790	とおい、はなれた	遠い、離れた	tooi / hanareta
791	ちいき	地域	chi'iki
792	みぞ	溝	mizo
793	とびこむ	飛び込む	tobikomu
794	わける	分ける	wakeru
795	めまいがする	目まいがする	memai ga suru
796	どうしようかな。		suru
797	さんばし、ドック	桟橋	sambashi / dokku
798	いしゃ	医者	isha
799	いぬ	犬	inu
800	にんぎょう	人形	ningyoo
801	いるか、ドルフィン	海豚	iruka / dorufin
802	ドーム		doomu
803	ろば		roba
804	ドア、と	戸	doa / to
805	ドアのとって	ドアの取っ手	totte
806	ダブル、かえだま	替え玉	daburu / kaedama
807	ねりこ	練り粉	neriko
808	はと	鳩	hato
809	わたげ	綿毛	watage
810	いねむり(を)する	居眠り(を)する	inemuri (o) suru
811	いちダース	一ダース	daasu
812	ひきずる	引きずる	hikizuru
813	りゅう、ドラゴン	竜	ryuu / doragon
814	とんぼ		tombo
815	はいすいぐち	排水口	haisui-guchi
816	えをかく	絵を画く	kaku
817	はねばし	はね橋	hanebashi

TERM #	HIRAGANA	KANJI	ROMAJI
818	ひきだし	引き出し	hikidashi
819	ゆめ	夢	yume
820	ゆめをみる	夢を見る	yume o miru
821	ドレス		doresu
822	ようふくをきる	着る	kiru
823	たんす、ドレッサー		tansu / doressaa
824	よだれをたらす	よだれを垂らす	yodare o tarasu
825	ひょうりゅうする	漂流する	hyooryuu suru
826	あなをあける	穴を空ける	ana o akeru
827	ドリル、きり		doriru / kiri
828	のみもの、ドリンク	飲み物	nomimono / dorinku
829	のむ	飲む	nomu
830	たれる、したたる、おちる	垂れる、滴る、落ちる	tareru / shitataru / ochiru
831	うんてんする、ドライブする	運転する	unten suru / doraibu suru
832	うんてんしゅ、ドライバー	運転手	untenshu / doraibaa
833	あめから きりさめに なりました。 _The rain has become a drizzle._	霧雨	kirisame
834	よだれをながす	よだれを流す	yodare o nagasu
835	いってき	一滴	itteki
836	おとす	落とす	otosu
837	よる	寄る	yoru
838	おいていく	置いていく	oite iku
839	とちゅうでやめる	途中で止める	tochuu de yameru
840	ねむい、うとうとする	眠い	nemui / uto uto suru
841	ドラム、たいこ	太鼓	doramu / taiko
842	かわいている	乾いている	kawaite iru

TERM #	HIRAGANA	KANJI	ROMAJI
843	はす、かわかす	干す、乾かす	hosu / kawakasu
844	ドライクリーニング		dorai kuriiningu
845	かんそうき、ドライヤ	乾燥機	kansooki / doraiyaa
846	こうしゃくふじん	公爵夫人	kooshaku fujin
847	あひる	家鴨	ahiru
848	けっとう	決闘	kettoo
849	こうしゃく	公爵	kooshaku
850	ごみのやま	ごみの山	gomi no yama
851	すてる	捨てる	suteru
852	ダンプカー		dampu-kaa
853	つちろう	土牢	tsuchiroo
854	ゆうぐれ	夕暮れ	yuugure
855	ほこり	埃	hokori
856	こびと	小人	kobito
857	それぞれ		sorezore
858	わし	鷲	washi
859	みみ	耳	mimi
860	はやい	早い	hayai
861	おかねをつかうまえにかせがなければなりません。 *You must earn money before you spend it.*	稼ぐ	kasegu
862	ちきゅう	地球	chikyuu
863	つち	土	tsuchi
864	じしん	地震	jishin
865	イーゼル		iizeru
866	ひがし	東	higashi
867	やさしい、らく(な)	楽(な)	yasashii / raku (na)
868	たべる	食べる	taberu
869	あさごはんをたべる	朝ご飯を食べる	taberu
870	おひるごはんをたべる	お昼ご飯を食べる	taberu

TERM #	HIRAGANA	KANJI	ROMAJI
871	ばんごはんをたべる	晩ご飯を食べる	taberu
872	やまびこ	山びこ	yamabiko
873	にっしょく	日食	nisshoku
874	はし	端	hashi
875	うなぎ	鰻	unagi
876	たまご	卵	tamago
877	なす	茄子	nasu
878	やっつ、はち	八つ、八	yattsu / hachi
879	やっつめ、はちばんめ	八つ目、八番目	yattsu-me / hachibam-me
880	わゴム	輪ゴム	wagomu
881	ひじ	肘	hiji
882	せんきょでだれがかちましたか。せんきょはせっせんでした。 *Who won the election? The election was very close.*	選挙	senkyo
883	でんきや	電気屋	denki-ya
884	でんき	電気	denki
885	ぞう	象	zoo
886	エレベーター		erebeetaa
887	おおじか	大鹿	oojika
888	にれ	楡	nire
889	はずかしがる	恥かしがる	hazukashigaru
890	だきあう	抱き合う	dakiau
891	ししゅう	刺繍	shishuu
892	ひじょうじたい	非常事態	hijoojitai
893	から、からっぽ	空、空っぽ	kara / karappo
894	おわり	終わり	owari
895	てき	敵	teki
896	エンジン		enjin
897	ぎし	技師	gishi

TERM #	HIRAGANA	KANJI	ROMAJI
917	れいを あげると、わかりやすくなるものです。 *Things are easier to understand when you give an example.*	例	rei
918	かんたんふ	感嘆符	kantanfu
919	「ごめんなさい。」「しつれい。」	失礼	gomen nasai shitsurei
920	うんどうする	運動する	undoo suru
921	アシュレイは「そんなものはない。」といいましたが、それは「そんなものはそんざいしない。」ということです。 *Ashley said "There is no such thing," and she meant "it does not exist."*	存在	sonzai
922	そとへでる	出る	deru
923	おおきくなる、ひろがる	大きくなる、拡がる	ookiku naru / hirogaru
924	おとうさんは アシュレイ が いいこであることを きたいしています。 *Dad expects Ashley to be a good girl.*	期待する	kitai suru
925	たかい、こうか(な)	高い、高価(な)	takai / kooka (na)
926	じっけん	実験	jikken
927	エキスパート	エキスパート	ekisupaato
928	せつめいする	説明する	setsumee suru
929	たんけんする	探検する	tanken suru
930	ばくはつ	爆発	bakuhatsu
931	しょうかき	消火器	shookaki
932	め	目	me
933	まゆげ	眉毛	mayuge
934	めがね	眼鏡	megane
935	まつげ	睫	matsuge

TERM #	HIRAGANA	KANJI	ROMAJI
898	たのしむ	楽しむ	tanoshimu
899	きょだい(な)	巨大(な)	kyodai (na)
900	それでじゅうぶん。	十分	juubun
901	はいる	入る	hairu
902	いりぐち	入口	iriguchi
903	ふうとう	封筒	fuutoo
904	おなじ、びょうどう	同じ、平等	onaji / byoodoo
905	せきどう	赤道	sekidoo
906	アシュレイは おとうさんの(お)つかいを しています。 / けさは いろいろ ようじ があります。 *Ashley is running an errand for Dad. She has many errands this morning.*	(お)使い / 用事	(o)tsukai / yooji
907	エスカレーター		esukareetaa
908	にげる	逃げる	nigeru
909	ヨーロッパ		yooroppa
910	じょうはつ	蒸発	joohatsu
911	ぐうすう	偶数	guusuu
912	たいらなひょうめん	平ら、表面	taira (na)
913	じょうりょくじゅ	常緑樹	jooryokuju
914	アシュレイは まいにち ベッドをつくります。 / まいしゅう おばあさんに あいにいきます。 *Ashley makes her bed every day. Every week she visits her grandmother.*	毎-	mai-
915	しけん	試験	shiken
916	しらべる	調べる	shiraberu

TERM #	HIRAGANA	KANJI	ROMAJI
936	はなし、ぐうわ	話、寓話	hanashi guuwa
937	かお	顔	kao
938	こうじょう	工場	koojoo
939	しけんに しっぱいする。	試験に失敗する。	shippai suru
940	こわれる	壊れる	kowareru
941	(お)まつり	(お)祭り	matsuri
942	ようせい	妖精	yoosee
943	あなたを しんらいして います。 *We have faith in you.*	信頼	shinrai
944	にせもの	偽物	nisemono
945	あき	秋	aki
946	おちる	落ちる	ochiru
947	ころぶ	転ぶ	korobu
948	おちる	落ちる	ochiru
949	まちがい	間違い	machigai
950	かぞく	家族	kazoku
951	ゆうめいな じょゆう	有名な女優	yuumee (na)
952	せんぷうき	扇風機	sempuuki
953	しゃれた、すてきな	洒落た、素敵な	shareta, suteki (na)
954	きば	牙	kiba
955	とおい	遠い	tooi
956	さようなら		sayoonara
957	のうじょう	農場	noojoo
958	のうふ	農夫	noofu
959	はやい	速い	hayai
960	しめる	締める	shimeru
961	ふとっている	太っている	futotte iru
962	ちめいてき	致命的	chimeeteki
963	おとうさん、ちちおや	お父さん、父親	otoosan chichioya
964	じゃぐち	蛇口	jaguchi
965	だれの せいかな？		see

TERM #	HIRAGANA	KANJI	ROMAJI
966	ちょっと おねがいがあるんですが…… アシュレイは、ひとにしんせつをするのがすきです。 *Can I ask you a favor?* *Ashley likes doing people favors.*	お願い 親切をする	
967	すき(な)、きにいった	好き(な)、気に入った	suki (na) ki ni itta
968	おそれる	恐れる	osoreru
969	おいわいのごちそう	お祝いのご馳走	oiwai no gochisoo
970	はね	羽	hane
971	にがつ	二月	ni-gatsu
972	たべさせる	食べさせる	tabesaseru
973	かんじる、おもう	感じる、思う	kanjiru omou
974	めす	雌	mesu
975	さく	柵	saku
976	フェンダー		fendaa
977	しだ	羊歯	shida
978	フェリー、わたしぶね	渡し船	ferii watashi-bune
979	まつり	祭り	matsuri
980	ねつ	熱	netsu
981	ひとが すこししか ＿ない	少ししか…ない	sukoshi shika……nai
982	はらっぱ、はたけ	原っぱ、畑	harappa hatake
983	いつつめ、ごばんめ	五つめ、五番目	itsutsu-me gobam-me
984	けんかする、たたかう	喧嘩する、戦う	kenka suru tatakau
985	つめを みがく	爪を磨く	(tsume o) migaku
986	みたす、いっぱいにする	満たす、一杯にする	mitasu ippai ni suru
987	いっぱいにする	一杯にする	ippai ni suru
988	フィルム		firumu

TERM #	HIRAGANA	KANJI	ROMAJI
989	きたない	汚い	kitanai
990	ひれ	鰭	hire
991	ばっきん	罰金	bakkin
992	ぼくはげんきだよ。	元気	genki
993	ゆび	指	yubi
994	しもん	指紋	shimon
995	おえる、おわる	終える、終わる	oeru / owaru
996	もみ	桜	momi
997	ひ	火	hi
998	しょうぼうしゃ	消防車	shooboosha
999	ひじょうぐち	非常口	hijooguchi
1000	はなび	花火	hanabi
1001	しょうぼうし	消防士	shoobooshi
1002	だんろ	暖炉	danro
1003	アシュレイはしっかりしたあくしゅをします。/ ペニーのかいしゃはおもちゃをつくっています。/ Ashley has a firm handshake. / Penny's firm makes toys.	会社	shikkari shita / kaisha
1004	いちばん、いちばんめ。	一番、一番目	ichiban / ichibam-me,
1005	さかな	魚	sakana
1006	さかなをつる		tsuru
1007	つりばり	釣り針	tsuribari
1008	こぶし、げんこつ		kobushi / genkotsu
1009	いつつ、ご	五つ、五	itsutsu / go
1010	なおす	直す	naosu
1011	はた	旗	hata
1012	せっぺん	雪片	seppen
1013	ほのお	炎	hono'o
1014	はばたきをする	羽ばたきをする	habataki suru

TERM #	HIRAGANA	KANJI	ROMAJI
1015	しょうめい	照明	shoomee
1016	フラッシュ		frasshu
1017	フラッシュライト、かいちゅうでんとう	懐中電灯	furasshu-raito / kaichuu dentoo
1018	フラスコ		furasuko
1019	たいら	平ら	taira
1020	たいらにのばす	平らに延ばす	taira ni nobasu
1021	フレーバー、あじ	味	fureebaa / aji
1022	のみ	蚤	nomi
1023	にげる	逃げる	nigeru
1024	ひつじのけ、ようもう	羊の毛、羊毛	hitsuji no ke / yoomoo
1025	にく	肉	niku
1026	うかぶ	浮かぶ	ukabu
1027	とりのいちぐん、むれ	鳥の一群、群	ichi-gun / mure
1028	こうずい	洪水	koozui
1029	ゆか	床	yuka
1030	こな	粉	kona
1031	ながれる	流れる	nagareru
1032	はな	花	hana
1033	りゅうかんでねている。	流感	ryuukan
1034	ふわふわしたわたげ	綿毛	watage
1035	えきたい	液体	ekitai
1036	はえ	蝿	hae
1037	まえだて	前立て	maetate
1038	とぶ	飛ぶ	tobu
1039	あわ	泡	awa
1040	きり	霧	kiri
1041	おる	折る	oru
1042	ついていく		tsuite iku
1043	たべもの、しょくもつ	食べ物、食物	tabemono / shokumotsu
1044	あし	足	ashi

TERM #	HIRAGANA	KANJI	ROMAJI
1045	フットボール		futtobooru
1046	あしあと	足跡	ashiato
1047	あしおと	足音	ashioto
1048	こじんはすべてのひとの ため、また、すべては こじんのためにある。 *One for all and all for one.*		tame
1049	ちからつくで押す	カつくで押す	osu
1050	ひたい	額	hitai
1051	もり、はやし	森、林	mori hayashi
1052	わたしのいぬは、じぶん のなまえを わすれます。 おとうさんは ミルクを かうのを わすれました。 *My dog forgets his name. Dad forgot to buy milk.*	忘れる	wasureru
1053	もううそをつかないと やくそくすれば、ゆるし てあげます。 *I forgive you if you promise not to tell lies from now on.*	許す	yurusu
1054	フォーク		fooku
1055	フォークリフト		fookurifuto
1056	じんだい、かた	人台、型	jindai kata
1057	ようさい	要塞	yoosai
1058	しょうめんのドアのとこ ろまであるいていって くださ い。 *Keep walking forward until you reach the front door.*		
1059	かせき	化石	kaseki
1060	いやなにおい	嫌な匂い	iya (na)
1061	きそ、どだい	基礎、土台	kiso dodai
1062	ふんすい	噴水	funsui

TERM #	HIRAGANA	KANJI	ROMAJI
1063	きつね	狐	kitsune
1064	はちぶんのいち	8分の1	bun
1065	こわれやすい、もろい	壊れやすい	koware-yasui moroi
1066	わく、がくぶち	枠、額縁	waku gakubuchi
1067	そばかす		sobakasu
1068	じゆう(な)	自由(な)	jiyuu (na)
1069	こおる	凍る	kooru
1070	しんせんなりんご	新鮮(な)	shinsen (na)
1071	アシュレイは きんようび には やきゅうのしあいに いきます。 *Ashley goes to a baseball game on Fridays.*	金曜日	kinyoobi
1072	れいぞうこ	冷蔵庫	reezooko
1073	ともだち	友達	tomodachi
1074	おどかす、 びっくりさせる	脅かす	odokasu bikkuri saseru
1075	かえる	蛙	kaeru
1076	かせいから きました。	火星から来ました。	kara
1077	まえ	前	mae
1078	しも	霜	shimo
1079	しかめつらをする		shikametsura o suru
1080	くだもの、フルーツ	果物	kudamono furuutsu
1081	やく、いためる、あげる	焼く、炒める、揚げる	yaku itameru ageru
1082	フライパン		furaipan
1083	ねんりょう	燃料	nenryoo
1084	いっぱい	一杯	ippai
1085	たのしむ	楽しむ	tanoshimu
1086	ぼきん	募金	bokin
1087	そうしき	葬式	sooshiki
1088	ろうと、じょうご	漏斗	rooto joogo

TERM #	HIRAGANA	KANJI	ROMAJI
1095	とっぷう、おおかぜ	突風、大風	toppuu / ookaze
1096	ギャラリー、がろう	画廊	garoo / gyararii
1097	うまがかける、ギャロップ	馬が駆ける	kakeru / gyaroppu
1098	ゲーム		geemu
1099	がちょう		gachoo
1100	ギャング、ぼうりょくだん	暴力団	gyangu / booryoku-dan
1101	ギャップ、すきま	隙間	gyappu / sukima
1102	ガレージ、しゃこ	車庫	gareeji / shako
1103	ごみ	塵(芥)	gomi
1104	ごみいれ	塵入れ(芥入れ)	gomi-ire
1105	やさいばたけ	野菜畑	yasai-batake
1106	うがいする		ugai suru
1107	にんにく		nin'niku
1108	ガーダー		gaataa
1109	あるきたいは（うきより）かるいです。しょうぼうふはけむりをさけるためにガスマスクをします。	気体	kitai / gas — Some gases are lighter than air. Firemen wear gas masks against the smoke.
1110	ガソリン		gasorin
1111	アクセル		akuseru
1112	ガソリンポンプ		gosorin pompu
1113	ガソリンスタンド		gasorin sutando
1114	もん	門	mon
1115	あつめる	集める	atsumeru
1116	はぐるま、ギヤ	歯車	haguruma / giya
1117	ほうせき	宝石	hooseki
1118	たいしょう	大将	taishoo
1119	きまえのよい	気前のよい	kimae no yoi
1120	きのやさしい	気のやさしい	ki no yasashii
1121	しんし	紳士	shinshi
1122	ほんもの(の)、じゅんしゅ(の)	本物(の)、純種(の)	hom'mono (no) / junshu (no)
1123	ちり	地理	chiri
1124	ゼラニューム		zeranyuumu
1125	ペットのジャービル		jaabiru
1126	きん、さいきん	菌、細菌	kin / saikin
1127	つかまえる	捕まえる	tsukamaeru
1128	とりかえす	取り返す	torikaesu
1129	はいる	入る	hairu
1130	おりる	下りる、降りる	oriru
1131	のる	乗る	noru
1132	すてる	捨てる	suteru
1133	おきる	起きる	okiru
1134	おばけ、ゆうれい	お化け、幽霊	obake / yuuree
1135	きょじん	巨人	kyojin
1136	ギフト、おくりもの	贈り物	gifuto / okurimono
1137	きょだい(な)	巨大(な)	kyodai(na)
1138	くすくすわらう	くすくす笑う	kusu kusu warau
1139	えら	鰓	era
1140	しょうが	生姜	shooga
1141	ジンジャーブレッド		jinjaa-bureddo
1142	ジプシー		jipushii
1143	きりん		kirin
1144	おんなのこ	女の子	onna no ko
1145	あげる		ageru
1146	かえしてあげる	返してあげる	kaeshite ageru
1147	こうさんする	降参する	koosan suru
1148	ひょうが	氷河	hyooga

TERM #	HIRAGANA	KANJI	ROMAJI
1149	うれしい		ureshii
1150	ガラス		garasu
1151	コップ		koppu
1152	めがね	眼鏡	megane
1153	すべる	滑る	suberu
1154	グライダー		guraidaa
1155	てぶくろ	手袋	tebukuro
1156	のり、せっちゃくざい	糊、接着剤	
1157	いく	行く	iku
1158	おりる	下りる	oriru
1159	はいる	入る	hairu
1160	あがる、のぼる	上がる、登る	agaru noboru
1161	ゴール		gooru
1162	やぎ	山羊	yagi
1163	グーグル、すいちゅうめがね	水中眼鏡	googuru suichuu-megane
1164	きん	金	kin
1165	きんぎょ	金魚	kingyo
1166	ゴルフ		gorufu
1167	いい、よい		ii yoi
1168	さようなら		sayoonara
1169	がちょう	鵞鳥	gachoo
1170	すぐり		suguri
1171	ゴージャス(な)、ごうか(な)	豪華(な)	goojasu (na) gooka (na)
1172	ゴリラ		gorira
1173	せいふはくにをおさめる。くににをおさめるということはいっけんやさしそうにみえるが、けっしてやさしくはない。 *The government governs the country.* *It is not as easy to govern a country as it seems.*	治める	osameru

TERM #	HIRAGANA	KANJI	ROMAJI
1174	せいふはこくみんによってえらばれる。*The government is elected by the people.* *Lisa's dad works for the government.*	政府	seefu
1175	ひったくる		hittakuru
1176	じょうひん(な)	上品(な)	joohin (na)
1177	いちねんせい	一年生	ichi-nen-see
1178	こくもつ	穀物	kokumotsu
1179	グラム		guramu
1180	まご	孫	mago
1181	おじいさん		ojiisan
1182	おばあさん		obaasan
1183	みかげいし	御影石	mikage-ishi
1184	ゆうきゅうきゅうかをとうかあげましょう。よっつせいがねがいをみっつかなえてくれるでしょう。*I grant you ten days' leave of absence.* *The fairy will grant you three wishes.*	上げる	ageru kanaeru
1185	ぶどう	葡萄	budoo
1186	グレープフルーツ		gureepu-furuutsu
1187	グラフ、ずひょう	図表	gurafu zuhyoo
1188	くさ	草	kusa
1189	ばった		batta
1190	おろしがね		oroshigane
1191	はか	墓	haka
1192	じゃり	砂利	jari
1193	じゅうりょく	重力	juuryoku
1194	くさをたべる	草を食べる	kusa o taberu

TERM #	HIRAGANA	KANJI	ROMAJI
1195	あぶら	油	abura
1196	すばらしい、とてもいい		subarashii totemo ii
1197	けち(な)、よくばり(の)	欲張り(の)	kechi (na) yokubari (no)
1198	みどりいろ	緑色	midori-iro
1199	グリーンピース		guriin piisu
1200	グリーンハウス、おんしつ	温室	guriin hausu onshitsu
1201	あいさつする	挨拶する	aisatsu suru
1202	グレイ、ねずみいろ	ねずみ色	guree nezumi-iro
1203	やく	焼く	yaku
1204	よごれた、きたない	汚れた、汚い	yogoreta kitanai
1205	にやにやする		niya niya suru
1206	ひく	挽く	hiku
1207	つかむ	掴む	tsukamu
1208	うめく	呻く	umeku
1209	しょくりょうひんてん	食料品店	shokuryoohin-ten
1210	しょくりょうひん	食料品	shokuryoohin
1211	しんろう、はなむこ	新郎、花婿	shinroo hanamuko
1212	ばてい	馬丁	batee
1213	ブラシをかけて きれいにする		burashi o kakeru
1214	みぞ、へこみ	溝、凹み	mizo hekomi
1215	きみのわるい、ぞっとする	気味の悪い	kimi no warui zotto suru
1216	じめん、つち	地面、土	jimen tsuchi
1217	マーモット		maamotto
1218	グループ、しゅうだん	集団	guruupu shuudan
1219	はえる、そだつ	生える、育つ	haeru sodatsu
1220	うなる		unaru

TERM #	HIRAGANA	KANJI	ROMAJI
1221	おとな	大人	otona
1222	みはる、まもる	見張る、守る	miharu mamoru
1223	あてる、すいそくする	当てる、推測する	ateru suisoku suru
1224	きゃく、おきゃくさん	客、お客さん	kyaku okyakusan
1225	あんないする	案内する	an'nai suru
1226	アシュレイは じぶんには つみがないといいます。 りんごをとっていったのは だれでしょうか。 *Ashley says that she is not guilty. Who is guilty of taking the apple?*	罪がある	tsumi ga aru
1227	モルモット		morumotto
1228	ギター		gitaa
1229	メキシコわん	メキシコ湾	mekishiko-wan
1230	かもめ	鴎	kamome
1231	はぐき	歯茎	haguki
1232	ガム		gamu
1233	とい、(はいすいようの)みぞ	樋、(排水用の)溝	toi mizo
1234	わるいしゅうかん、くせ	悪い習慣、癖	shuukan kuse
1235	たら(のいっしゅ)	鱈(の一種)	tara
1236	ひょう	雹	hyoo
1237	かみのけ、け	髪の毛、毛	kami no ke ke
1238	ヘアーブラシ		heaa-burashi
1239	びようし	美容師	biyooshi
1240	ヘアードライヤー		heaa-doraiyaa
1241	はんぶん	半分	hambun
1242	(げんかんの)ひろま、ホール	(玄関の)広間	hiroma hooru
1243	ハロウィーン		harowiin
1244	ろうか	廊下	rooka

TERM #	HIRAGANA	KANJI	ROMAJI
1245	とまる	止まる	tomaru
1246	かなづち、ハンマー	金槌	kanazuchi hammaa
1247	うつ	打つ	utsu
1248	ハンモック		hammokku
1249	ハムスター		hamusutaa
1250	て	手	te
1251	だす、てわたす	出す、手渡す	dasu tewatasu
1252	ハンドブレーキ		hando-bureeki
1253	てじょう	手錠	tejoo
1254	めがみえないということ は ハンディキャップだ。 / どんな しょうがいでも のりこえることができま す。 / Being blind is a handicap. People can overcome any handicap.	障害	handikyappu / shoogai
1255	ハンドル、とって	取っ手	handoru totte
1256	てすり	手摺り	tesuri
1257	ハンサム（な）		hansamu (na)
1258	きようなひと	器用な人	kiyoo (na)
1259	えをかける	絵を掛ける	kakeru
1260	しがみつく、がんばる	しがみつく、頑張る	shigamitsuku gambaru
1261	かける、つるす		kakeru tsurusu
1262	かくのうこ	格納庫	kakunooko
1263	ハンガー		hangaa
1264	ハンカチ		hankachi
1265	じこがおこる	事故が起こる	okoru
1266	しあわせ（な）、こうふく（な）	幸せ（な）、幸福（な）	shiawase (na) koofuku (na)
1267	みなと	港	minato
1268	かたい	硬い	katai

TERM #	HIRAGANA	KANJI	ROMAJI
1269	のうさぎ	野兎	no-usagi
1270	きずつける、がいをあたえる	傷つける、害を与える	kizu tsukeru gai o ataeru
1271	ハーモニカ		haamonika
1272	ばぐ	馬具	bagu
1273	ハープ		haapu
1274	きびしいふゆ	厳しい冬	kibishii
1275	かりいれる	刈り入れる	kariireru
1276	ぼうし	帽子	booshi
1277	たまごがかえる	卵が孵る	kaeru
1278	おの	斧	ono
1279	ひきずる、ひっぱる	引きつる、引っ張る	hikizuru hipparu
1280	おばけやしき	お化け屋敷	obake-yashiki
1281	もっている	持っている	motte iru
1282	たか	鷹	taka
1283	ほしくさ	干し草	hoshigusa
1284	もや		moya
1285	ヘーゼル、はしばみ		heezeru hashibami
1286	ヘーゼルナッツ		heezeru-nattsu
1287	あたま	頭	atama
1288	ずつう	頭痛	zutsuu
1289	ヘッドレスト		heddo-resuto
1290	なおる	治る	naoru
1291	げんき（な）、けんこう（な）	元気（な）、健康（な）	genki (na) kenkoo (na)
1292	ごみのやま	ごみの山	gomi no yama
1293	こえがきこえる	声が聞こえる	kikoeru
1294	しんぞう	心臓	shinzoo
1295	あたためる	温める	atatameru
1296	ヒーター		hiitaa
1297	もちあげる	持ち上げる	mochiageru
1298	てんごく	天国	tengoku
1299	おもい	重い	omoi

TERM #	HIRAGANA	KANJI	ROMAJI
1300	かきね	垣根	kakine
1301	はりねずみ	針鼠	harinezumi
1302	かかと	踵	kakato
1303	ヘリコプター		herikoputaa
1304	じごく	地獄	jigoku
1305	こんにちは。	今日は。	kon'nichiwa
1306	かじ	蛇	kaji
1307	ヘルメット		herumetto
1308	たすける、てつだう	助ける。手伝う	tasukeru / tetsudau
1309	むりょく（な）	無力（な）	muryoku (na)
1310	すそ、へり	裾、縁	suso / heri
1311	はんきゅう	半球	hankyuu
1312	めんどり	雌鳥	mendori
1313	しちかっけい、ななかっけい	七角形	shichikakkee / nanakakkee
1314	やくそう	薬草	yakusoo
1315	うしのむれ	牛の群	mure
1316	ここにいらしゃい！		koko
1317	よすてびと	世捨て人	yosutebito
1318	えいゆう、ヒーロー	英雄	eeyuu / hiiroo
1319	ヒロイン		hiroin
1320	にしん	鰊	nishin
1321	ためらう、ちゅうちょする	躊躇する	tamerau / chuucho suru
1322	ろっかっけい	六角形	rokkakkee
1323	とうみんする	冬眠する	toomin suru
1324	しゃっくりがでる		shakkuri ga deru
1325	どうぶつのかわ	動物の皮	kawa
1326	かくれる	隠れる	kakureru
1327	かくれば	隠れ場	kakureba
1328	たかいやま	高い山	takai
1329	こうそうけんちく	高層建築	koosoo
1330	こうとうがっこう、こうこう	高等学校、高校	kootoo gakkoo / kookoo
1331	ハイウェイ		haiwee
1332	ハイジャックする		haijakku suru
1333	おか	丘、岡	oka
1334	ちょうつがい、とめがね	蝶番、留め金	chootsugai / tomegane
1335	うしろあし	後ろ足	ushiro-ashi
1336	こし、ヒップ	腰	koshi / hippu
1337	かば	河馬	kaba
1338	れきし	歴史	rekishi
1339	うつ、たたく	打つ、叩く	utsu / tataku
1340	はちのす	蜂の巣	hachi no su
1341	ためこむ	溜め込む	tamekomu
1342	がらがらごえ	がらがら声	gara gara goe
1343	しゅみ	趣味	shumi
1344	アイスホッケー		aisu hokkee
1345	パック		pakku
1346	スティック		sutikku
1347	くわ	鍬	kuwa
1348	だく、もつ	抱く、持つ	daku / motsu
1349	おさえつける	押さえつける	osaetsukeru
1350	あな	穴	ana
1351	やすみ、さいじつ、きゅうじつ	休み、祭日、休日	yasumi / saijitsu / kyuujitsu
1352	くうどう、うろ	空洞	kuudoo / uro
1353	ひいらぎ	柊	hiiragi
1354	しんせいなうし	神聖な牛	shinsee (na)
1355	いえにいる	家にいる	ie
1356	しゅくだい	宿題	shukudai
1357	しょうじき（な）	正直（な）	shoojiki (na)

TERM #	HIRAGANA	KANJI	ROMAJI
1358	はちみつ	蜂蜜	hachimitsu
1359	(こけいの)はちみつ	(固形の)蜂蜜	hachimitsu
1360	ハニーデュー・メロン		haniiduu-meron
1361	クラクションを鳴らす	クラクションを鳴らす	kurakushon o narasu
1362	めいよ、えいよ	名誉、栄誉	meeyo / eeyo
1363	フード		fuudo
1364	ボンネット、フード		bonnetto / fuudo
1365	ひづめ	蹄	hizume
1366	つりばり、かぎばり	かぎ針	tsuribari / kagibari
1367	フープ、わ	輪	fuupu / wa
1368	ぴょんぴょんとぶ	ぴょんぴょん跳ぶ	pyon pyon tobu
1369	きぼうする	希望する	kiboo suru
1370	きぼうがない	希望がない	kiboo ga nai
1371	いしけりゲーム	石蹴りゲーム	ishikeri geemu
1372	ちへいせん	地平線	chiheesen
1373	すいへいの	水平の	suihee (no)
1374	けいてき	警笛	keeteki
1375	ホルン		horun
1376	つの	角	tsuno
1377	すずめばち	雀蜂	suzume-bachi
1378	うま	馬	uma
1379	せいようわさび	西洋山葵	seeyoo wasabi
1380	ていてつ	蹄鉄	teetetsu
1381	ホース		hoosu
1382	びょういん	病院	byooin
1383	あつい	暑い	atsui
1384	からい	辛い	karai
1385	とうがらし	唐辛子	toogarashi
1386	ホテル		hoteru
1387	じかん	時間	jikan
1388	すなどけい	砂時計	suna-dokei

TERM #	HIRAGANA	KANJI	ROMAJI
1389	いえ、うち	家	ie / uchi
1390	ホーバークラフト		hoobaa-kurafuto
1391	どうするか おしえて あげる。	どうするか教えてあげる。	doo
1392	とおぼえをする	遠吠え	tooboe
1393	ホイールキャップ		hoiiru kyappu
1394	ハックルベリー、こけもも	苔桃	hakkuru-berii / kokemomo
1395	みをかがめる	身を屈める	mio kagameru
1396	きょだい(な)、おおきな	巨大(な)、大きな	kyodai (na) / ookina
1397	せんたい	船体	sentai
1398	はちどり	蜂鳥	hachidori
1399	らくだのこぶ	駱駝の瘤	kobu
1400	ひゃく	百	hyaku
1401	おなかがすいている	お腹が空いている	onaka ga suite iru
1402	かりをする	狩りをする	kari o suru
1403	なげる	投げる	nageru
1404	ハリケーン、ぼうふう	暴風	harikeen / boofuu
1405	いそぐ	急ぐ	isogu
1406	てくびがいたい	手首が痛い	itai
1407	おっと、しゅじん	夫、主人	otto / shujin
1408	こや	小屋	koya
1409	しょっきだな	食器棚	shokkidana
1410	ヒヤシンス		hiyashinsu
1411	さんびか	賛美歌	sambika
1412	ハイフンとは、ことばと ことばをむすぶ みじかい せんのことです。 *Hyphens are short lines between words.*		haifun
1413	アイス、こおり	氷	aisu / koori
1414	アイスクリーム		aisukuriimu

Left Table

TERM #	HIRAGANA	KANJI	ROMAJI
1415	ひょうざん	氷山	hyoozan
1416	つらら	氷柱	tsurara
1417	アイシング		aishingu
1418	アイディア、かんがえ	考え	aidia / kangae
1419	まったくおなじ	全く同じ	mattaku onaji
1420	ほか、はくち	馬鹿、白痴	baka / hakuchi
1421	ぶらぶらしている		bura bura shite iru
1422	もしかうことができれば あなたにかってあげる んですが… / I would buy it for you if I could.		moshi......reba
1423	イグルー		iguruu
1424	イグニッション・キー		igunisshon kii
1425	びょうき	病気	byooki
1426	てらす	照らす	terasu
1427	ほんのなかのえをさしえ といいます。 このじびきにはさしえが たくさんあります。 / Pictures in a book are called illustrations. This dictionary has many illustrations.	挿絵	sashie
1428	アシュレイにとってたい せつなことは、ジャック にとってじゅうようなこと とかもしれません。 / What is important to Ashley may not be important to Jack.	大切(な), 重要(な)	taisetsu (na) / juuyoo (na)
1429	トニーさんはいますか。 / みずうみにとびこみなさ い / Is Tony in? / Go jump in the lake!		

Right Table

TERM #	HIRAGANA	KANJI	ROMAJI
1430	(お)こう	(お)香	(o)koo
1431	インチ		inchi
1432	ほんのうしろに さくいん があります。 インデックスは じしょ にでてくることばがぜん ぶふくまれています。 / There is an index at the back of this book. The index contains all the words in the dictionary.	索引	sakuin / indekkusu
1433	あいいろ	藍色	ai-iro
1434	おくない、しつない	屋内、室内	okunai / shitsunai
1435	ちのみご、ようじ	乳飲み子、幼児	chinomigo / yooji
1436	かんせん、でんせん	感染、伝染	kansen / densen
1437	でんせんびょうにかかり ます。 ときどきわらいはうつり ます。 / You could catch an infectious disease. Sometimes laughter is infectious.	伝染病 / 移る	densenbyoo / utsuru
1438	しらせる、おしえる	知らせる、教える	shiraseru / oshieru
1439	くまはほらあなに すんでいる。	住んでいる	sunde iru
1440	イニシャル、かしらもじ	頭文字	inisharu / kashira moji
1441	ちゅうしゃ	注射	chuusha
1442	けが	怪我	kega
1443	インク		inku
1444	こんちゅう	昆虫	konchuu
1445	はこのなか	中	naka
1446	いいはる、 しゅちょうする	言い張る、主張する	iiharu / shuchoo suru
1447	しらべる、けんさする	調べる、検査する	shiraberu / kensa suru

TERM #	HIRAGANA	KANJI	ROMAJI
1448	けいぶ	警部	keebu
1449	フォークのかわりにスプーンをつかう。	代わりに	kawari ni
1450	つかいかたのせつめい、しじ	使い方の説明、指示	setsumee shiji
1451	こうし、せんせい	講師、先生	kooshi sensee
1452	でんせんのまわりにはひとがさわっても、かんでんしないようにせつえんたいがまいてあります。	絶縁体	zetsuentai
	There is insulation around the wires so people will not get a shock.		
1453	こうさてん	交差点	koosaten
1454	インタビュー、めんせつ	面接	intabyuu mensetsu
1455	へやのなかにはいる	部屋の中に入る	naka
1456	しょうかいする	紹介する	shookai suru
1457	しんにゅうする	侵入する	shin'nyuu suru
1458	びょうにん	病人	byoonin
1459	はつめいする	発明する	hatsumee suru
1460	めにみえない	目に見えない	me ni mienai
1461	しょうたい	招待	shootai
1462	しょうたいする、まねく	招待する、招く	shootai suru maneku
1463	あやめ、アイリス	菖蒲	ayame airisu
1464	アイロンをかける		airon o kakeru
1465	アイロン		airon
1466	てっかめん	鉄仮面	tekkamen
1467	しま	島	shima
1468	アシュレイはうでにはってできてかゆいです。	痒い	kayui
	The rash on Ashley's arm makes her skin itch.		
1469	かく	掻く	kaku

TERM #	HIRAGANA	KANJI	ROMAJI
1470	かゆい	痒い	kayui
1471	つた	蔦	tsuta
1472	つっつく		tsuttsuku
1473	うわぎ、ジャケット	上着	uwagi jaketto
1474	ほんのカバー	本のカバー	kabaa
1475	ぎざぎざ		giza giza
1476	けいむしょ、かんごく	刑務所、監獄	keimusho kangoku
1477	ジャム		jamu
1478	おしこむ、つめこむ	押し込む、詰め込む	oshikomu tsumekomu
1479	いちがつ	一月	ichigatsu
1480	びん	瓶	bin
1481	あご	顎	ago
1482	ジーパン、ジーンズ		jiipan jiinzu
1483	ジープ		jiipu
1484	ゼリー		zerii
1485	ジェットエンジン		jetto enjin
1486	ジェットき	ジェット機	jetto-ki
1487	ふきだし	吹き出し	fukidashi
1488	ほうせき	宝石	hooseki
1489	ジグソーパズル		jigusoo pazuru
1490	しごとをする	仕事	shigoto
1491	きしゅ、ジョッキー	騎手	kishu jokkii
1492	ジョギングする		jogingu suru
1493	あわせる、つける	合わせる、付ける	awaseru tsukeru
1494	かんせつ	関節	kansetsu
1495	じょうだん、ジョーク	冗談	joodan jooku
1496	はんじ、さいばんかん	判事、裁判官	hanji saibankan
1497	てじなし	手品師	tejinashi
1498	ジュース		juusu

TERM #	HIRAGANA	KANJI	ROMAJI
1499	しちがつ	七月	shichigatsu
1500	ジャンプする、とぶ	跳ぶ	jampu suru / tobu
1501	とびこむ	飛び込む	tobikomu
1502	とびのる	跳び乗る	tobinoru
1503	ちょうやくのせんしゅ	跳躍の選手	chooyaku no senshu
1504	ジャンパー		jampaa
1505	ジャンパーテーブル		jampaa keeburu
1506	ろくがつ	六月	rokugasu
1507	ジャングル		janguru
1508	ジャンク		janku
1509	がらくた、くず	屑	garakuta / kuzu
1510	アシュレイは ちょうど うちに かえった ところ です。 はんじは ただしいひと です。	正しい	choodo / tadashii / Ashley just got home. / The judge is a just person.
1511	ひゃくしょくめがね まんげきょう	百色眼鏡 万華鏡	hyakushoku megane / mangekyoo
1512	カンガルー		kangaruu
1513	(ふねの)キール	(船の)キール	kiiru
1514	いぬごや	犬小屋	inugoya
1515	とうもろこしのつぶ	とうもろこしの粒	tsubu
1516	やかん		yakan
1517	かぎ	鍵	kagi
1518	キックする、ける		kikku suru / keru
1519	こども	子供	kodomo
1520	こやぎ	子山羊	ko-yagi
1521	ゆうかいする	誘かいする	yuukai suru
1522	じんぞう	腎臓	jinzoo

TERM #	HIRAGANA	KANJI	ROMAJI
1523	ころす	殺す	korosu
1524	かまでやく	かまで焼く	kama
1525	キログラム		kiroguramu
1526	キロメートル		kiromeetoru
1527	スコットランドのキルト		kiruto
1528	ドレスはようふくの しゅるい	ドレスは洋服の種類	shurui
1529	しんせつな、やさしい おんなのこ	親切(な)、優しい女の子	shinsetsu (na) / yasashii
1530	おう、おうさま	王、王様	oo / oo-sama
1531	かわせみ		kawasemi
1532	キオスク、ばいてん	売店	kiosuku / baiten
1533	にしんのくんせい	にしんの燻製	nishin no kunsee
1534	キスする、せっぷんする	接吻する	kisu suru / seppun suru
1535	キス		kisu
1536	キッチン、だいどころ	台所	kitchin / daidokoro
1537	たこをあげる	凧を揚げる	tako
1538	こねこ	子猫	ko-neko
1539	キーウィ		kiiwi
1540	ひざ		hiza
1541	ひざをつく	膝をつく	hiza o tsuku
1542	ナイフ		naifu
1543	あむ	編む	amu
1544	ドアのとっこ	ドアの取っ手	totte
1545	ドアをノックする、たたく	叩く	nokku suru / tataku
1546	なわのむすびめ	縄の結び目	musubi-me

TERM #	HIRAGANA	KANJI	ROMAJI
1547	このことばのいみをしっていますか？ アシュレイはフランスごをよくしっています。 Do you know what this word means? Ashley knows French well.	この言葉の意味を知っていますか？ アシュレイはフランス語をよく知っています。	shitte iru
1548	ゆびのかんせつ	指の関節	kansetsu
1549	コアラはオーストラリアにすんでいる。	コアラはオーストラリアに住んでいる。	koara
1550	ラベル		raberu
1551	ラボ、じっけんしつ	実験室	rabo jikkenshitsu
1552	レースのえり	レースの衿	reesu
1553	(くつの)ひもをむすぶ	(靴の)ひもを結ぶ	himo o musubu
1554	はしご	梯子	hashigo
1555	ひしゃく		hishaku
1556	じょせい、ふじん	女性、婦人	josee fujin
1557	てんとうむし	てんとう虫	tentoomushi
1558	レディフィンガー (おかしのなまえ)		
1559	(けものの)すみか	(獣の)棲か	sumika
1560	みずうみ	湖	mizuumi
1561	こひつじ	子羊	ko-hitsuji
1562	フロッシーはびっこを ひいている	フロッシーはびっこを引いて いる	bikko
1563	ランプ		rampu
1564	がいとう	街灯	gaitoo
1565	やり	槍	yari
1566	りく	陸	riku
1567	ちゃくりくする	着陸する	chakuriku suru
1568	かいだんのおどりば	階段の踊り場	odoriba

TERM #	HIRAGANA	KANJI	ROMAJI
1569	このアパートは おおやさ んのものです。 まいつきおおやさんにや ちんをはらいます。 This apartment belongs to our landlord. We pay our landlord rent every month.	このアパートは大家さんの ものです。 毎月大家さんに家賃を払い ます。	ooyasan
1570	しゃせん	車線	shasen
1571	なんかこくごをはなせます か。 アシュレイは がいこく のことばが ならいたい です。 How many languages can you speak ? Ashley wants to learn a foreign language.	何か国語話せますか。 アシュレイは外国の言葉が 習いたいです。	go kotoba
1572	てさげランプ	手提げランプ	tesage rampu
1573	あかちゃんをひざに のせる。	赤ちゃんを膝に	hiza
1574	からまつ	落葉松	karamatsu
1575	ラード		raado
1576	おおきい、おおきな	大きい、大きな	ookii ookina
1577	ひばり	雲雀	hibari
1578	ながいまつげ	長いまつ毛	matsuge
1579	さいごのひとされ	最後の一され	saigo
1580	ながもちする	長持ちする	nagamochi suru
1581	かけがねをかける	掛け金をかける	kakegane
1582	きみ、ちこくだよ。	君、遅刻だよ。	chikoku
1583	せっけんのあわ	石けんの泡	awa
1584	わらう	笑う	warau
1585	ランチ、 モーターボート		ranchi mootaa booto
1586	はっしゃする	発射する	hassha suru
1587	はっしゃだい	発射台	hassha dai
1588	よごれたせんたくもの	汚れた洗濯物	sentaku-mono

TERM #	HIRAGANA	KANJI	ROMAJI
1589	せんたくば	洗濯場	sentaku-ba
1590	ラベンダー		rabendaa
1591	ほうりつにしたがえ。	法律に従え。	hooritsu
1592	しばふ	芝生	shibafu
1593	しばかりき	芝刈り機	shibakariki
1594	タイルをはる		haru
1595	かさねる	重ねる	kasaneru
1596	なまけもの	怠け者	namakemono
1597	うまをリードする	馬をリードする	riido suru
1598	リーダー、しどうしゃ	指導者	riidaa / shidoosha
1599	は、はっぱ	葉、葉っぱ	ha / happa
1600	このバケツはもる	漏る	moru
1601	かたむく	傾く	katamuku
1602	よみかたをならう	読み方を習う	narau
1603	いぬのくさり	犬のくさり	kusari
1604	くつはかわで出来ている。	靴は皮で出来ている。	kawa
1605	おく	置く	oku
1606	でる	出る	deru
1607	まどのつきだし	窓の突き出し	tsukidashi
1608	リーク		riiku
1609	ひだり	左	hidari
1610	ひだりきき	左利き	hidari-kiki
1611	あし	脚	ashi
1612	でんせつ	伝説	densetsu
1613	レモン		remon
1614	レモネード		remoneedo
1615	このほんをかしてあげましょう。	この本を貸してあげましょう。	kasu
1616	レンズ		renzu
1617	ひょう	豹	hyoo
1618	レオタード		reotaado
1619	すくない	少ない	sukunai

TERM #	HIRAGANA	KANJI	ROMAJI
1620	レッスン		ressun
1621	はなして!	離して!	hanasu
1622	アルファベットのもじ	アルファベットの文字	moji
1623	てがみをかく	手紙を書く	tegami
1624	レタス		retasu
1625	たいらなひょうめん	平らな表面	taira (na)
1626	てこ、レバー		teko / rebaa
1627	うそつき	嘘つき	usotsuki
1628	としょかん、としょしつ	図書館、図書室	toshokan / toshoshitsu
1629	ナンバー・プレート		nambaa pureeto
1630	なめる		nameru
1631	ふた		futa
1632	うそをつく		uso o tsuku
1633	よこになる	横になる	yoko ni naru
1634	じんせいははじまったところ。	人生は始まったところ。	jinsee
1635	きゅうめいボート	救命ボート	kyuumee booto
1636	もちあげる	持ち上げる	mochiageru
1637	でんきをつける	電気をつける	denki
1638	ろうそくにひをつける	ろうそくに火をつける	hi o tsukeru
1639	でんきゅう	電球	denkyuu
1640	にをかるくする	荷を軽くする	karuku suru
1641	とうだい	灯台	toodai
1642	かみなり	雷	kaminari
1643	ひらいしん	避雷針	hiraishin
1644	シャロンはねこがすき。	シャロンは猫が好き。	suki
1645	ソフィアはあした来そうもありません。 ありそうなはなしです。 *Sophia is not likely to come tomorrow.* *That is a likely story.*	ソフィアはあした来そうもありません。 ありそうな話です。	-soo
1646	ライラック		rairakku

TERM #	HIRAGANA	KANJI	ROMAJI
1647	ゆり		yuri
1648	おおきなえだ	大きな枝	eda
1649	ライム	ライム	raimu
1650	スピードせいげんは50キロです。	スピード制限は50キロです。	seegen
	ジョーのしんせつにはかぎりがありません。 *The speed limit is 50 kilometers per hour. There is no limit to Joe's kindness.*	ジョーの親切には限りがありません。	kagiri
1651	びっこをひく	びっこを引く	bikko
1652	まっすぐなせん	まっすぐな線	sen
1653	リネン	リネン	rinen
1654	ていきせん	定期船	teekisen
1655	うらあて	裏当て	ura'ate
1656	うでをくむ	腕を組む	kumu
1657	せんいくず	繊維くず	sen'i kuzu
1658	ライオン	ライオン	raion
1659	くちびる	唇	kuchibiru
1660	くちべに	口紅	kuchibeni
1661	えきたい	液体	ekitai
1662	リスト	リスト	risuto
1663	みんなきいている。	みんな聞いている。	kiku
1664	リットル	リットル	rittoru
1665	ちらかさないで！	散らかさないで！	chirakasu
1666	ちいさなりんご	小さなりんご	chiisana
1667	アシュレイはまちにすんでいます。 つきにすむのはむずかしいでしょう。 *Ashley lives in the city. It would be difficult to live on the moon.*	アシュレイは町に住んでいます 月に住むのは難しいでしょう。	sumu
1668	げんきがいい、かっぱつ（な）	元気がいい、活発（な）	genki ga ii kappatsu (na)

TERM #	HIRAGANA	KANJI	ROMAJI
1669	いま	居間	ima
1670	とかげ	とかげ	tokage
1671	たいほうにたまをこめる	大砲にたまを込める	tama o komeru
1672	トラックににをつむ	トラックに荷を積む	ni o tsumu
1673	パン	パン	pan
1674	コリンはアシュレイにおかねをかしました。 *Colin loaned money to Ashley.*	コリンはアシュレイにお金を貸しました。	kasu
1675	いせえび、ロブスター。	伊勢海老	ise-ebi robusutaa
1676	かぎをかける	鍵を掛ける	kagi o kakeru
1677	じょう	錠	joo
1678	きかんしゃ	機関車	kikansha
1679	いなご、ばった	蝗	inago batta
1680	やまごや、ロッジ	山小屋	yamagoya rojji
1681	やねうら	屋根裏	yaneura
1682	まるた	丸太	maruta
1683	ロリーポップ		roriipoppu
1684	さびしい		sabishii
1685	きりんのくびはながい。	きりんの首は長い。	nagai
1686	みる、ながめる	見る、眺める	miru nagameru
1687	はたでスカーフをおる	機でスカーフを織る	hata
1688	なわのわ	縄の輪	wa
1689	ゆるい		yurui
1690	てぶくろをなくす	手袋を無くす	nakusu
1691	ローション		rooshon
1692	おおきなおと	大きな音	ookina
1693	かくせいき	拡声器	kakuseeki
1694	やすむ、なまける	休む、怠ける	yasumu namakeru

TERM #	HIRAGANA	KANJI	ROMAJI
1695	あいはすべてだとアシュレイはいいます。 Ashley says that love is everything.	愛	ai
1696	あいする	愛する	ai suru
1697	うつくしい、かわいらしい	美しい、可愛らしい	utsukushii kawairashii
1698	ひくいところにあるえだ	低いところにある枝	hikui
1699	さげる	下げる	sageru
1700	うん、こううん おてんきがよくてほんとうにこううんでした。 なんてうんがいいんでしょう。 We were really lucky to have such nice weather. How lucky you are!	運、幸運	un koo'un
1701	にもつ	荷物	nimotsu
1702	なまぬるいおゆ	生ぬるいお湯	namanurui
1703	こもりうた	子守り歌	komoriuta
1704	もくざい	木材	mokuzai
1705	こぶ		kobu
1706	ランチ、べんとう	弁当	ranchi bentoo
1707	べんとうばこ	弁当箱	bentoobako
1708	はい	肺	hai
1709	ざっし	雑誌	zasshi
1710	うじ		uji
1711	まほう	魔法	mahoo
1712	てじなし	手品師	tejinashi
1713	じしゃく	磁石	jishaku
1714	りっぱ（な）	立派（な）	rippa (na)
1715	むしめがね、かくだいきょう	虫眼鏡、拡大鏡	mushi-megane kakudaikyoo
1716	かささぎ		kasasagi
1717	ゆうびんでてがみをだす	郵便で手紙を出す	yuubin de dasu
1718	ゆうびんはいたつ	郵便配達	yuubin haitatsu

TERM #	HIRAGANA	KANJI	ROMAJI
1719	つくる	作る	tsukuru
1720	（お）けしょう	（お）化粧	(o) keshoo
1721	おす	雄	osu
1722	つち		tsuchi
1723	だんせい、おとこのひと	男性、男の人	dansee otoko no hito
1724	みかん		mikan
1725	マンドリン		mandorin
1726	たてがみ	立髪	tategami
1727	マンゴー		mangoo
1728	れいぎただしいぎょうぎがいい	礼儀正しい行儀がいい	reegi tadashii gyoogi ga ii
1729	たくさん		takusan
1730	ちず	地図	chizu
1731	だいりせき	大理石	dairiseki
1732	ビーだま	ビー玉	biidama
1733	こうしんする	行進する	kooshin suru
1734	さんがつ	三月	san-gatsu
1735	（めすの）うま	（雌の）馬	(mesu no) uma
1736	マリーゴールド		mariigoorudo
1737	マークする、さいてんする	採点する	maaku suru saiten suru
1738	てんすうをもらう、いいてんすうをもらう	いい点数をもらう	tensuu
1739	マーケット		maaketto
1740	けっこんする	結婚する	kekkon suru
1741	ぬま、しっち	沼、湿地	numa shitchi
1742	じゃがいもをつぶす		tsubusu
1743	（お）めん	（お）面	(o) men
1744	しつりょう	質量	shitsuryoo
1745	マスト		masuto
1746	マスターする、おぼえる	覚える	masutaa suru oboeru
1747	テニスのしあい	テニスの試合	shiai
1748	マッチ		matchi

TERM #	HIRAGANA	KANJI	ROMAJI
1749	さんすう、すうがく	算数、数学	sansuu / suugaku
1750	ゴーディはどうかしたんですか? なんでもないんですよ。かなしそうに見えるだけです。 *What is the matter with Gordie? Nothing is the matter with him. He just looks sad.*	悲しそうに見えるだけです。	
1751	マットレス		mattoresu
1752	ごがつ	五月	go-gatsu
1753	たぶんアシュレイはいえにいるべきでしょう。 たぶんトムがしゅくだいをてつだってくれるでしょう。 *Maybe Ashley should stay home. Maybe Tom could help her do her homework.*		tabun
1754	しちょう	市長	shichoo
1755	めいろ	迷路	meero
1756	くさはら	草原	kusahara
1757	ひばり	雲雀	hibari
1758	しょくじ	食事	shokuji
1759	いじのわるいひと	意地の悪い人	iji no warui
1760	はしか	麻疹	hashika
1761	はかる	計る	hakaru
1762	にく	肉	niku
1763	メカニック		mekanikku
1764	メダル		medaru
1765	くすり	薬	kusuri
1766	ちゅうぐらい(の)	中位(の)	chuugurai (no)
1767	ともだちにあう	友達に会う	au
1768	かい、かいぎ、かいごう	会、会議、会合	kai / kaigi / kaigoo

TERM #	HIRAGANA	KANJI	ROMAJI
1769	メロン		meron
1770	こおりがとける	氷が溶ける	tokeru
1771	クラブのメンバーはよにん。	クラブのメンバーは4人。	membaa
1772	メニュー		menyuu
1773	てんこうにさゆうされる。 わるものはだれにもじょうをしめしませんでした。 *We are at the mercy of the weather. The bandits showed no mercy to anyone.*	天候に左右される。 悪者はだれにも情を示しませんでした。	
1774	にんぎょ	人魚	ningyo
1775	ようきなひと	陽気な人	yooki (na)
1776	ほんとうにめちゃくちゃ		mecha-kucha
1777	でんごん	伝言	dengon
1778	ししゃ、つかいのひと	使者、使いのひと	shisha / tsukai no hito
1779	きんぞくででできている	金属で出来ている	kinzoku
1780	いんせき	隕石	inseki
1781	メーター		meetaa
1782	1メートル＝やく40インチ	1メートル＝約40インチ	meetoru
1783	アシュレイははやくおぼえるほうほうをしっています。 *Ashley has a method to learn quickly.*	アシュレイは早く覚える方法を知っています。	hoohoo
1784	メトロノーム		metoronoomu
1785	マイク		maiku
1786	けんびきょう	顕微鏡	kembikyoo
1787	でんしレンジ	電子レンジ	denshi renji
1788	まひる、しょうご	真昼、正午	mahiru / shoogo
1789	まんなか	真ん中	mannaka
1790	こびと	小人	kobito
1791	まよなか	真夜中	mayonaka

TERM #	HIRAGANA	KANJI	ROMAJI
1792	1マイルは 1.6キロメートルです。 _One mile equals 1.6 kilometers._		mairu
1793	ミルク、ぎゅうにゅう	牛乳	miruku gyuunyuu
1794	せいふんじょ、すいしゃごや	製粉所、水車小屋	seifunjo suishagoya
1795	こころ、せいしん	心、精神	kokoro seishin
1796	こうざん	鉱山	koozan
1797	こうふ	坑夫、鉱夫	koofu
1798	こうぶつ	鉱物	koobutsu
1799	はや		haya
1800	ミント		minto
1801	マイナス		mainasu
1802	いちじかんは ろくじゅっぷん。		fun pun
1803	きせき	奇跡	kiseki
1804	しんきろう	蜃気楼	shinkiroo
1805	かがみ	鏡	kagami
1806	けち、けちんぼ		kechi kechimbo
1807	かぞくが こいしい。	恋しい	koishii
1808	ミサイル		misairu
1809	きり、もや	霧	kiri moya
1810	やどりぎ	宿り木	yadorigi
1811	てぶくろ	手袋	tebukuro
1812	まぜる、ミックスする	混ぜる	mazeru mikkusu suru
1813	ミキサー		mikisaa
1814	(お)ほり	(お)堀	(o) hori
1815	まねる、ばかにする	真似る、馬鹿にする	maneru baka ni suru
1816	つぐみ		tsugumi
1817	もけいひこうき	模型飛行機	mokee

TERM #	HIRAGANA	KANJI	ROMAJI
1818	モダンないす	モダンな椅子	modan (na)
1819	しめっている	湿っている	shimette iru
1820	もぐら		mogura
1821	ほくろ		hokuro
1822	ちょっと、しょうしょう	ちょっと、少々	chotto shooshoo
1823	げつようびにはアシュレイははやおきします。 _On Mondays Ashley gets up early._	月曜日にはアシュレイは早起きします。	getsuyoobi
1824	おかね	お金	okane
1825	さる	猿	saru
1826	モンクフィッシュ		monku-fisshu
1827	かいぶつ、モンスター	怪物	kaibutsu monsutaa
1828	じゅうにかげつ	12か月	getsu
1829	きねんひ	記念碑	kinenhi
1830	きげんがいい		kigen ga ii
1831	きげんがわるい	きげんが悪い	kigen ga warui
1832	つき	月	tsuki
1833	ムース		muusu
1834	あさ	朝	asa
1835	にゅうばちとにゅうぼう	乳鉢と乳棒	nyuubachi
1836	モザイク		mozaiku
1837	か	蚊	ka
1838	こけ	苔	koke
1839	ははおや、おかあさん	母親、お母さん	hahaoya okaasan
1840	モーター		mootaa
1841	オートバイ		ootobai
1842	ゼリーのかた	ゼリーの型	kata
1843	こやま	小山	koyama
1844	うまにのる	馬に乗る	noru
1845	やま	山	yama
1846	はつかねずみ	二十日鼠	hatsuka nezumi

Left table (Terms 1847–1876)

TERM #	HIRAGANA	KANJI	ROMAJI
1847	くちひげ	ロひげ	kuchihige
1848	くち	口	kuchi
1849	かたつむりはゆっくりうごく。	...動く。	ugoku
1850	うんどう	運動	undoo
1851	えいがかん	映画館	eegakan
1852	しばをかる	芝を刈る	karu
1853	わたしには おおすぎる	私には 多すぎる	ooi
1854	どろ	泥	doro
1855	ろば		roba
1856	かける、かけざんする	掛ける、掛け算する	kakeru / kakezan suru
1857	おたふくかぜ	お多福かぜ	otafuku-kaze
1858	ころす	殺す	korosu
1859	きんにく	筋肉	kin'niku
1860	はくぶつかん	博物館	hakubutsukan
1861	きのこ	茸	kinoko
1862	おんがく	音楽	ongaku
1863	おんがくか	音楽家	ongaku-ka
1864	ムールがい	ムール貝	muuru-gai
1865	とびこまなければいけない	飛び込まなければいけない	-nakereba ikenai
1866	からし	芥子	karashi
1867	くちわ	口輪	kuchiwa
1868	くぎ	釘	kugi
1869	つめ	爪	tsume
1870	つめきり	爪切り	tsumekiri
1871	くぎをうつ	釘を打つ	utsu
1872	はだか	裸	hadaka
1873	なまえは......	名前は......	namae
1874	ナプキン		napukin
1875	せますぎて とおれない	狭すぎて 通れない	semai
1876	くに	国	kuni

Right table (Terms 1877–1902)

TERM #	HIRAGANA	KANJI	ROMAJI
1877	くだものには しぜんの とうぶんが ふくまれています。 *Fruit contains natural sugar.*	自然（の）	shizen (no)
1878	しぜんは うつくしい。	自然は美しい。	shizen
1879	いたずら		itazura
1880	そうじゅうする	操縦する	soojuu suru
1881	ちかい	近い	chikai
1882	きちんとした。かっこ（う）いい		kichin to shita / kakko ii
1883	ひつよう	必要	hitsuyoo
1884	くび	首	kubi
1885	ネックレス		nekkuresu
1886	はなのみつ	蜜	mitsu
1887	ネクタリン		nekutarin
1888	さばくでは みずが なによりも ひつようです。 *There is a great need for water in the desert.*	砂漠では水がなよりも 必要です。	hitsuyoo
1889	すいぶんが いる。	水分が要る。	iru
1890	はり	針	hari
1891	むしする、あいてにしない	無視する。相手にしない	mushi suru / aite ni shinai
1892	うまが いななく	馬がいななく	inanaku
1893	となりのひと	隣りの人	tonari no hito
1894	どれも あわない	どれも合わない	dore mo .....nai
1895	ネオンサイン		neon-sain
1896	おい	甥	oi
1897	しんけい	神経	shinkei
1898	ロンは しんけいしつだ。	ロンは神経質だ。	shinkeeshitsu
1899	す	巣	su
1900	いらくさ		irakusa
1901	ひあそびは ぜったいに しないこと。	火遊びは絶対にしない こと。	zettai ni......nai
1902	あたらしい	新しい	atarashii

TERM #	HIRAGANA	KANJI	ROMAJI
1903	このしんぶんにきょうのニュースがのっています。 いいニュースがあります よ。 *This paper has today's news.* *I have good news for you.*	この新聞に今日のニュースがのっています。	nyuusu
1904	しんぶん	新聞	shimbun
1905	つぎどうぞ。	次どうぞ	tsugi
1906	くるみをすこしずつかむ。	胡桃を少しずつ噛む	kamu
1907	いいこ	いい子	ii
1908	ニッケル		nikkeru
1909	なまえはアシュレーですが、ニックネームはスポッツです。 *Her name is Ashley but her nickname is Spots.*	名前はアシュレーですが、ニックネームはスポッツです。	nikku neemu
1910	めい	姪	mee
1911	よる	夜	yoru
1912	うぐいす		uguisu
1913	わるいゆめ、あくむ	悪い夢、悪夢	warui yume akumu
1914	ここのつ、きゅう、く	九つ、九、九	kokonotsu kyuu ku
1915	ここのつめ、きゅうばんめ	九つ目、九番目	kokonotsu-me kyuubam-me
1916	こたえは「いいえ」。	答えは「いいえ」。	iie
1917	ガラハドきょうはみぶんがたかくて、かんだいなひとでした。 *Sir Galahad was a noble and generous person.*	ガラハド卿は身分が高くて、寛大な人でした。	mibun ga takai
1918	きぞく	貴族	kizoku
1919	ここにはだれもいない。		daremo...nai
1920	うるさいおと	うるさい音	urusai oto
1921	しょうご	正午	shoogo
1922	きた	北	kita

TERM #	HIRAGANA	KANJI	ROMAJI
1923	はな	鼻	hana
1924	くるみ	胡桃	kurumi
1925	くるみわり	くるみ割り	kurumi-wari
1926	ナイロン		nairon
1927	かしのき	樫の木	kashi no ki
1928	オール		ooru
1929	オアシス		oashisu
1930	ちょうほうけい	長方形	choohookee
1931	かんさつする	観察する	kansatsu suru
1932	たいかい、たいよう	大海、大洋	taikai taiyoo
1933	はっかっけい	八角形	hakkakkee
1934	じゅうがつ	十月	juu-gatsu
1935	たこ	蛸	tako
1936	オドメーター		odomeetaa
1937	におい	匂い	nioi
1938	でんきがきえています。 キャシーはコートを ぬぎます。 *The light is off.* *Cathy takes off her coat.*	電気が消えています キャシーはコートを脱ぎます	kiete iru nugu
1939	かいたいともうしでる	買いたいと申し出る	mooshideru
1940	しょうこう	桜枝	shookoo
1941	ろくがつにはあめがよくふります。 アシュレイはたびたびしつもんします。 *It often rains in June.* *Ashley often asks questions.*	六月には雨がよく降ります アシュレイは度々質問します。	yoku tabitabi
1942	あぶら	油	abura
1943	ぬりぐすり	塗り薬	nurigusuri
1944	としをとったひと、ろうじん	年を取った人、老人	toshi o totta hito roojin
1945	オリーブ		oriibu

TERM #	HIRAGANA	KANJI	ROMAJI
1946	オムレツ		omuretsu
1947	つくえのうえ	机の上	ue
1948	カールはやまにいちどしかいったことがありません。むかしむかしリサというおんなのこがいました。 *Carl has been to the mountain only once.* *Once upon a time, there was a little girl called Lisa.*	カールは山に一度しか行ったことがありません。むかしむかしリサという女の子がいました。	ichido mukashi mukashi
1949	ひとつ、いち	一つ、一	hitotsu ichi
1950	たまねぎ	玉ねぎ	tamanegi
1951	あなただけにささげるあい。	あなただけに捧げる愛。	dake
1952	あいている	開いている	aite iru
1953	あける、ひらく	開ける、開く	akeru hiraku
1954	しゅじゅつ	手術	shujutsu
1955	ふくろねずみ		fukuro nezumi
1956	ぜんのはんたいはあくです。 「こうふく」のはんたいはなんでしょう？	善の反対は悪です。 「幸福」の反対はなんでしょう？	hantai
1957	なしとりんごとどっちがすきですか。にほんごをならっていますか、ちゅうごくごをならっていますか。 *Do you prefer a pear or an apple?* *Are you learning Japanese or Chinese?*	梨とりんごとどっちが好きですか。日本語を習っていますか、中国語を習っていますか。	
1958	オレンジ		orenji
1959	オレンジいろ、だいだい		orenji-iro daidai
1960	かじゅえん	果樹園	kajuen
1961	オーケストラ		ookesutora

TERM #	HIRAGANA	KANJI	ROMAJI
1962	らん	蘭	ran
1963	ちゅうもんする	注文する	chuumon suru
1964	オレガン		oregano
1965	オルガン		orugan
1966	うぐいす		uguisu
1967	こじ、みなしご	孤児、みなしご	koji minashigo
1968	だちょう		dachoo
1969	かわうで	川うで	kawaus0
1970	1ポンドは 16 オンス。		onsu
1971	そと、やがい	外、野外	soto yagai
1972	いでたち、かっこう	出立ち、恰好	idetachi kakkoo
1973	だえんけい、たまごがた	楕円形、卵形	daenkee tamagogata
1974	オーブン		oobun
1975	ひとがおちたぞ！	人が落ちたぞ！	ochiru
1976	オーバー		oobaa
1977	あふれる	溢れる	afureru
1978	オーバーシューズ		oobaa-shuuzu
1979	ひっくりかえる	ひっくり返る	hikkurikaeru
1980	せんせいにはけいいをあらわすべきです。しゃっきんはしないほうがいいです。 *You owe respect to your teacher.* *It is best not to owe any money.*	先生には敬意を表すべきです。借金はしないほうがいいです。	
1981	ふくろう	梟	fukuroo
1982	このいえはわたしたちのもちいえです。みずうみにコテージをもっています。 *We own our house.* *They own a cottage on a lake.*	この家はわたしたちの家です。湖にコテージを持っています。	motsu motte iru

TERM #	HIRAGANA	KANJI	ROMAJI
1983	(おすの)うし	(雄の)牛	(osu no) ushi
1984	さんそ	酸素	sanso
1985	かき	牡蠣	kaki
1986	カバンに つめる		tsumeru
1987	つつみ	包み	tsutsumi
1988	メモようし	メモ用紙	yooshi
1989	パット		patto
1990	かい、オール		kai, ooru
1991	オールで こぐ		kogu
1992	かぎ、じょう	鍵、錠	kagi, joo
1993	ページ		peeji
1994	バケツ		baketsu
1995	いたみ	痛み	itami
1996	ペンキ		penki
1997	ペンキぬりたて	ペンキ塗りたて	nuritate
1998	ペンキをぬる	ペンキを塗る	nuru
1999	ペンキようのはけ	ペンキ用の刷毛	hake
2000	ペンキや	ペンキ屋	penki-ya
2001	え	絵	e
2002	くついっそく	靴一足	issoku
2003	きゅうでん	宮殿	kyuuden
2004	いろがうすい	色が薄い	usui
2005	パレット		paretto
2006	てのひら	手の平	te no hira
2007	さら、ひらなべ	皿、(平鍋)	sara, nabe
2008	パンケーキ		pankeeki
2009	パンダ		panda
2010	はいでんばん	配電盤	haiden-ban
2011	パンパイプ		pan-paipu
2012	パンジー		panjii
2013	はあはあ あえぐ		aegu
2014	ひょう	約	hyoo

TERM #	HIRAGANA	KANJI	ROMAJI
2015	ズボン		zubon
2016	パパイヤ		papaiya
2017	かみ	紙	kami
2018	パラシュート		parashuuto
2019	パレード		pareedo
2020	へいこうせん	平行線	heekoosen
2021	まひする	麻痺する	mahi suru
2022	こづつみ	小包	kozutsumi
2023	りょうしん	両親	ryooshin
2024	こうえん	公園	kooen
2025	くるまをとめる、ちゅうしゃする	車を止める、駐車する	tomeru chuusha suru
2026	パルカ		paruka
2027	ぎかい	議会	gikai
2028	おうむ		oomu
2029	パセリ		paseri
2030	パースニップ		paasunippu
2031	りゅうし	粒子	ryuushi
2032	パートナー		paatonaa
2033	パーティー		paatii
2034	パスする		pasu suru
2035	きをうしなう	気を失う	ki o ushinau
2036	ろうか、つうろ	廊下、通路	rooka, tsuuro
2037	じょうきゃく、せんきゃく	乗客、船客	jookyaku, senkyaku
2038	パスポート		pasupooto
2039	むかしはひこうきもくるも まもありませんでした。はちじごふんすぎです。 *In the past, there were no planes or cars. It is five past eight.*		mukashi sugi
2040	パスタ		pasuta
2041	のりで はる		haru

TERM #	HIRAGANA	KANJI	ROMAJI
2042	きばらし（にすること）	気晴らし（にすること）	kibarashi
2043	（こなをねってつくった）おかし	（粉を練って作った）お菓子	okashi
2044	ぼくじょう	牧場	bokujoo
2045	つぎ	次	tsugi
2046	みち	道	michi
2047	がまんづよい	我慢強い	gaman-zuyoi
2048	かんじゃ	患者	kanja
2049	パターン、げんけい	原型	pataan / genkee
2050	にほんごをよむとき てんのところでやすんでください。 / やすまずに、きのところまではしっていってこられますか。 *When reading Japanese you pause at a comma. Can you run to that tree and back without a pause?*	休む	yasumu
2051	しゃどう	車道	shadoo
2052	（いねやねこの）あし、て	足、手	ashi / te
2053	はらう	払う	harau
2054	こうしゅうでんわ	公衆電話	kooshuu denwa
2055	へいわ	平和	heewa
2056	もも	桃	momo
2057	くじゃく	孔雀	kujaku
2058	ちょうじょう	頂上	choojoo
2059	なりひびくかねのおと	鳴り響く鐘の音	narihibiku
2060	ピーナッツ		piinattsu
2061	なし	梨	nashi
2062	しんじゅ	真珠	shinju
2063	グリーンピース		guriinpiisu
2064	みずごけ		mizugoke
2065	こいし	小石	koishi
2066	ピーカンのみ	実	piikan

TERM #	HIRAGANA	KANJI	ROMAJI
2067	つつつく、つい（つ）ばむ		tsuttsuku / tsuibamu
2068	ペダル		pedaru
2069	ペダルをふんではしる	ペダルを踏んで走る	pedaru o fumu
2070	ほこうしゃ	歩行者	hokoosha
2071	おうだんほどう	横断歩道	oodan hodoo
2072	むく		muku
2073	ペリカン		perikan
2074	ペン		pen
2075	えんぴつ	鉛筆	empitsu
2076	ふりこ	振り子	furiko
2077	ペンギン		pengin
2078	こがたな	小刀	ko-gatana
2079	ごかっけい	五角形	gokakkee
2080	ひとびと	人々	hitobito
2081	こしょう	胡椒	koshoo
2082	はっか、ミント		hakka / minto
2083	すずき（のいっしゅ）	鱸	suzuki
2084	とまりぎ	とまり木	tomarigi
2085	えんそう	演奏	ensoo
2086	こうすい	香水	koosui
2087	ピリオド、しゅうしふ	終止符	piriodo / shuushifu
2088	つるにちにちそう、ビンカ		tsuru-nichinichi-soo / binka
2089	ひと	人	hito
2090	がいちゅう	害虫	gaichuu
2091	こまらす、なやます	困らす、悩ます	komarasu / nayamasu
2092	ペット		petto
2093	かわいがる		kawaigaru
2094	はなびら	花びら	hanabira
2095	ペチュニア		pechunia
2096	やくざいし	薬剤師	yakuzaishi

TERM #	HIRAGANA	KANJI	ROMAJI
2097	やっきょく	薬局	yakkyoku
2098	きじ	雉	kiji
2099	でんわ	電話	denwa
2100	しゃしん	写真	shashin
2101	ピアノ		piano
2102	えらぶ、とる	選ぶ、取る	erabu / toru
2103	だきあげる	抱き上げる	dakiageru
2104	ピッケル		pikkeru
2105	つけもの	漬物	tsukemono
2106	つける	漬ける	tsukeru
2107	ピクニック		pikunikku
2108	え	絵	e
2109	パイ	パイ一切れ	pai
2110	パイひときれ		
2111	つぎあわせる	継ぎ合わせる	tsugiawaseru
2112	ふとう	埠頭	futoo
2113	ぶた	豚	buta
2114	はと	鳩	hato
2115	ぶたごや	豚小屋	butagoya
2116	つちのやま	土の山	yama
2117	くすり、じょうざい	薬、錠剤	kusuri joozai
2118	はしら	柱	hashira
2119	まくら	枕	makura
2120	まくらカバー	枕カバー	makura kabaa
2121	ひこうし、パイロット	飛行士	hikooshi pairotto
2122	にきび		nikibi
2123	かにのはさみ		hasami
2124	つまむ、つねる		tsumamu tsuneru
2125	まつ	松	matsu
2126	パイナップル		painappuru
2127	ピンク		pinku

TERM #	HIRAGANA	KANJI	ROMAJI
2128	パイプ		paipu
2129	かいぞく	海賊	kaizoku
2130	ピスタチオ		pisutachio
2131	ピストル		pisutoru
2132	なげる	投げる	nageru
2133	マーブ、いいピッチだね。このピアノはおとがはずれています。 Hey Meru, that was a good pitch! This piano is off pitch.		pitchi / (oto ga) hazureru
2134	みつまた、くまで	三つ又、熊手	mitsumata kumade
2135	コールタールピッチ		koorutaaru-pitchi
2136	アシュレイはこねこをなくしたおんなのこをかわいそうにおもっています。 Ashley pities the girl who lost her kitten.	可哀想(な)	kawaisoo (na)
2137	ピクニックにいいところです。かなつちはもとのばしょにかえしてください。 It is a good place for a picnic. Please return the hammer to its place.	所、場所	tokoro / basho
2138	かれい（ひらめのいっしゅ）		karee
2139	むじのシャツ	無地のシャツ	muji (no)
2140	へいや、はらっぱ	平野、原っぱ	heeya harappa
2141	けいかくする。	計画する	keekaku suru
2142	かんな	鉋	kanna
2143	わくせい	惑星	wakusee
2144	いた	板	ita
2145	しょくぶつ	植物	shokubutsu

TERM #	HIRAGANA	KANJI	ROMAJI
2146	うえる	植える	ueru
2147	プラスター		purasutaa
2148	プラスターをぬる	プラスターを塗る	purasutaa o nuru
2149	プラスチック		purasuchikku
2150	ねんど	粘土	nendo
2151	さら	皿	sara
2152	こうげん、プラトー	高原	koogen puratoo
2153	ホーム		hoomu
2154	あそぶ	遊ぶ	asobu
2155	あそびば	遊び場	asobiba
2156	トランプ		torampu
2157	たんがんする	嘆願する	tangan suru
2158	きもちのいいひ	気持ちのいい日	kimochi no ii
2159	どうぞミルクをください	どうぞミルクを下さい	doozo...... kudasai
2160	プリーツ、ひだ		puriitsu hida
2161	ペンチ		penchi
2162	すき	すき	suki
2163	むしる		mushiru
2164	さしこみ	差し込み	sashikomi
2165	せん	栓	sen
2166	すもも、プラム		sumomo puramu
2167	はいかんこう	配管工	haikankoo
2168	まるまるふとった	まるまる太った	futotta
2169	「1」はたんすうです。「10」はふくすうです。"Children"は"child"のふくすうです。One is singular, ten is plural. Children is the plural of child.	複数	fukusuu
2179	プラス		purasu
2171	プライウッド、ごうばん	合板	puraiwuddo gooban

TERM #	HIRAGANA	KANJI	ROMAJI
2172	おとしたまご	落とし卵	otoshi-tamago
2173	ポケット		poketto
2174	さや		saya
2175	しじんは しをかくひとです。これは アシュレイ のかいたしです。A poet is a person who writes poems. This is a poem that Ashley wrote.	詩	shi
2176	ポインセチア		poinsechia
2177	ゆびさす	指さす	yubisasu
2178	やじるしのさき	矢印の先	saki
2179	とがっている		togatte iru
2180	どく	毒	doku
2181	あるきのこは どくです。どくへびのかずは おおくありません。Some mushrooms are poisonous. There are not many poisonous snakes.		doku
2182	つ(っ)つく		tsu(t)tsuku
2183	しろくま、ほっきょくぐま	白熊、北極熊	shirokuma hokkyoku-guma
2184	はしら、でんちゅう	柱、電柱	hashira denchuu
2185	けいかん	警官	keekan
2186	ふじんけいかん	婦人警官	fujin-keekan
2187	みがく	磨く	migaku
2188	だれでも れいぎただしい ことどもが すきです。「はい」は「うん」より ていねいです。Everybody likes polite children. "Hai" is more polite than "un".	丁寧(な)	reegi-tadashii / teenee(na)

TERM #	HIRAGANA	KANJI	ROMAJI
2189	かふん	花粉	kafun
2190	ざくろ		zakuro
2191	いけ	池	ike
2192	ポーニー		poonii
2193	プール		puuru
2194	お金をプールする		puuru suru
2195	アシュレイのりょうしんは びんぼうではありません が、かねもちでもありま せん。 Ashley's parents are not poor, but they are not rich either.	貧乏	bimboo
2196	ぽんと とびでる	ぽんと飛び出る	tobideru
2197	ポプラ		popura
2198	けし、ポピー		keshi / popii
2199	アシュレイは にんきもの です。 このほんは こどもに にんきがあります。 Ashley is a popular girl. This book is popular among children.	人気	ninki
2200	ポーチ		poochi
2201	けあな	毛穴	keana
2202	ポリッジ		porijji
2203	みなと	港	minato
2204	アシュレイは ポータブル ・ラジオがほしいです。 ボブはポータブルのコン ピュータをほしがってい ます。 Ashley wants a portable radio. Bob wants a portable computer.		pootaburu
2205	ポーター		pootaa
2206	しょうぞうが	肖像画	shoozooga

TERM #	HIRAGANA	KANJI	ROMAJI
2207	ポスト		posuto
2208	ポストにいれる	ポストに入れる	posuto ni ireru
2209	ゆうびんきょく	郵便局	yuubinkyoku
2210	えはがき	絵葉書き	ehagaki
2211	ポスター		posutaa
2212	なべ	鍋	nabe
2213	じゃがいも		jagaimo
2214	とうき	陶器	tooki
2215	ポーチ、ちいさいふくろ	小さい袋	poochi fukuro
2216	きゅうに とびつく	急に飛びつく	tobitsuku
2217	バナナ よんほんで 1ポ ンドぐらいです。 ポンドは イギリスの おかねのなまえです。 Four bananas weigh about a pound. Pound is the name of English money.		pondo
2218	たたく、うつ	叩く、打つ	tataku utsu
2219	つぐ		tsugu
2220	くちをとがらす。 ふくれっつらする。	口をとがらす	kuchi o togarasu fukurettsura suru
2221	パウダー		paudaa
2222	れんしゅうする	練習する	renshuu suru
2223	そうげん、へいげん	草原、平原	soogen heegen
2224	ほめる		homeru
2225	あとあしではねまわる	後足で跳ね回る	hanemawaru
2226	いのる	祈る	inoru
2227	このほうが好きです。	この方が好きです。	suki
2228	にんしんしている	妊娠している	ninshin shite iru
2229	しゅっせき	出席	shusseki
2230	おくりもの、プレゼント	贈り物	okurimono purezento
2231	トロフィーをわたす	トロフィーを渡す	watasu
2232	くだもののさとうづけ	果物の砂糖づけ	satoo-zuke

TERM #	HIRAGANA	KANJI	ROMAJI
2233	おす	押す	osu
2234	きれいなドレス	奇麗(な)	kiree (na)
2235	えじき	餌食	ejiki
2236	ねだん	値段	nedan
2237	ちくりとさす	ちくりと刺す	sasu
2238	はりのあるどうぶつ	針のある動物	hari no aru doobutsu
2239	しょうがっこう	小学校	shoogakkoo
2240	プリムラ		purimura
2241	プリンス、おうじ、こうたいし	王子、皇太子	purinsu ooji kootaishi
2242	プリンセス、おうじ、こうたいしひ	王女、皇太子妃	purinsesu ooji kootaishi-hi
2243	がっこうのこうちょう	学校の校長	koochoo
2244	げんそくとしては さんせ いです。 げんそくとしての だいいちは いっしょうけんめいに はたらくことです。 *In principle, I agree with you.* *The first principle is to work hard.*	原則	gensoku
2245	いんさつする	印刷する	insatsu suru
2246	プリズム		purizumu
2247	ろうや、けいむしょ	牢屋、刑務所	rooya keemusho
2248	しゅうじん	囚人	shuujin
2249	こじん	個人	kojin
	トムは こじんレッスンを うけています。アシュレイは しりつがっこうに かよっています。 *Tom takes private lessons.* *Ashley goes to a private school.*	私立	shiritsu
2250	いっとうしょうをもらう	一等賞をもらう	shoo
2251	もんだい	問題	mondai

TERM #	HIRAGANA	KANJI	ROMAJI
2252	のうさんぶつ、さくもつ	農産物、作物	noosan-butsu sakumotsu
2253	せいさんする、つくる	生産する、作る	seisan suru tsukuru
2254	プログラム、ばんぐみ	番組	puroguramu bangumi
2255	きんじられている	禁じる	kinjiru
2256	シャーレイは プロジェク ト のべんきょうをして います。それは りかのプロジェク ト です。 *Shirley is working on a project.* *It is a science project.*		purojekuto
2257	やくそくする	約束する	yakusoku suru
2258	(フォークやまでの)また		mata
2259	はつおんする	発音する	hatsuon suru
2260	しょうこ	証拠	shooko
2261	ささえる	支える	sasaeru
2262	プロペラ		puropera
2263	きちんとしたみなりを している	きちんとした身なりをして いる	kichin to shita
2264	アシュレイのうちは いなかに とちを もって います。	アシュレイの家は田舎に 土地を持っています、	tochi
	さいさんのあるひと。 *Ashley's family owns property in the country.* *A man of property.*	財産のある人	zaisan
2265	こうぎする	抗議する	koogi suru
2266	ほこる、ほこりたかい	誇る、誇り高い	hokoru hokoritakai
2267	しょうめいする	証明する	shoomee suru
2268	これは ことわざです。「てんさいでも あやまちを おかす。」 *Here is a proverb:* *"Even a genius can make a mistake."*	諺	kotowaza

TERM #	HIRAGANA	KANJI	ROMAJI
2269	いすをようい<u>する</u>	用意する	yooi suru
2270	ブルーン		puruun
2271	えだをおろす	枝をおろす	eda o orosu
2272	こうしゅうでんわ	公衆電話	kooshuu denwa
2273	プリン		purin
2274	みずたまり	水たまり	mizutamari
2275	ぽっぽっと<u>ふく</u>	ぽっぽっと吹く	fuku
2276	パフィン		pafin
2277	ひく、ひっぱる	引く、引っ張る	hiku / hipparu
2278	かっしゃ	滑車	kassha
2279	プルオーバー		puru-oobaa
2280	みゃく	脈	myaku
2281	ポンプ		pompu
2282	<u>ポンプで</u>くうきをいれる	ポンプで空気を入れる	pompu
2283	かぼちゃ	南瓜	kabocha
2284	なぐる	殴る	naguru
2285	じかんをまもる	時間を守る	jikan o mamoru
2286	タイヤをパンクさ<u>せる</u>		panku suru
2287	ばっ<u>する</u>	罰する	bassuru
2288	ばつ	罰	batsu
2289	あやつりにんぎょう	操り人形	ayatsuri ningyoo
2290	こいぬ	子犬	ko-inu
2291	きれい(な)		kiree (na)
2292	むらさきいろ	紫色	murasaki-iro
2293	ごろごろ<u>のど</u>をならす	ごろごろ喉を鳴らす	nodo o narasu
2294	さいふ、ハンドバッグ	財布	saifu handobaggu
2295	おう、ついせきする	追う、追跡する	ou / tsuiseki suru
2296	<u>お</u>す	押す	osu
2297	ここに<u>おいて</u>ください。	置く	oku
2298	かたづける	片付ける	katazukeru
2299	のばす、おくらせる あとまわしにする	延ばす、遅らせる 後回しにする	nobasu okuraseru atomawashi ni s.ru

TERM #	HIRAGANA	KANJI	ROMAJI
2300	パテ		pate
2301	パズル		pazuru
2302	パジャマ		pajama
2303	ピラミッド		piramiddo
2304	にしきへび	錦蛇	nishiki-hebi
2305	うずら		uzura
2306	しつのたかい、 こうきゅう(な)	質の高い、高級(な)	shitsu no takai kookyuu (na)
2307	りょう	量	ryoo
2308	けんかする	喧嘩する	kenka suru
2309	いしきりば	石切場	ishikiriba
2310	よんぶんのいち	4分の1	yombun no ichi-
2311	ふなつきば、はとば	船着き場、波止場	funatsukiba hatoba
2312	クイーン、じょうおう	女王	kuiin joo'oo
2313	しつもんする	質問する	shitsumon suru
2314	はやい	速い	hayai
2315	うきずな、 クイックサンド	浮砂	ukizuna kuwikku-sando
2316	しずか(な)、おとなしい	静か(な)、おとなしい	shizuka (na) otonashii
2317	はねぺん	羽ペン	hane-pen
2318	はりねずみの<u>はり</u>	針鼠の針	hari
2319	はねぶとん	羽根布団	hane-buton
2320	まるめろのみ	まるめろの実	marumero no mi
2321	やづつ	矢筒	yazutsu
2322	ふるえる	震える	furueru
2323	きょうがっこうでかん じのしけんがありまし た。 *At school we had a Kanji quiz today.*		shiken
2324	うさぎ	兎	usagi
2325	ラクーン、あらいぐま		rakuun araiguma
2326	きょうそうする	競走する	kyoosoo suru

TERM #	HIRAGANA	KANJI	ROMAJI
2327	ぼうしかけ	帽子かけ	booshikake
2328	おおさわぎ	大騒ぎ	oo-sawagi
2329	ラジエーター		rajieetaa
2330	ラジオ		rajio
2331	ラディッシュ		radisshu
2332	はんけい	半径	hankee
2333	いかだ	筏	ikada
2334	ふいの しゅうげき を	不意の襲撃	shuugeki
2335	てすり	手摺り	tesuri
2336	てつどうの せんろ	鉄道の線路	senro
2337	あめが ふる	雨が降る	ame ga furu
2338	にじ	虹	niji
2339	レインコート		reen-kooto
2340	アシュレイは クラスで よく てを あげます。アシュレイは おもしろい もんだいを だしました。 *Ashley often raises her hand in class. She has raised an interesting question.*	アシュレイはクラスでよくてをあげます。アシュレイはおもしろいもんだいを出しました。	(te o) ageru dasu
2341	ほしぶどう	干しぶどう	hoshibudoo
2342	くまで	熊手	kumade
2343	とをトントンたたく	戸をトントン叩く	tataku
2344	はやい	速い	hayai
2345	めずらしい	珍しい	mezurashii
2346	ほっしん、はっしん	発疹	hosshin hasshin
2347	ラズベリー		razuberii
2348	ねずみ	鼠	nezumi
2349	がらがら		gara-gara
2350	がらがらへび	がらがら蛇	gara-gara hebi
2351	わたりがらす		watari-garasu
2352	がつがつたべる	がつがつ食べる	gatsu gatsu taberu
2353	きょうこく、けいこく	峡谷、渓谷	kyookoku keekoku

TERM #	HIRAGANA	KANJI	ROMAJI
2354	なまたまご	生卵	nama
2355	たいようのこうせん	太陽の光線	koosen
2356	ひげそり、レーザー	髭そり	higesori reezaa
2357	とどく	届く	todoku
2358	よむ	読む	yomu
2359	いちについて、ようい、ドン	位置について、用意、ドン	yooi
2360	ほんとう(の)。ほんもの(の)	本当(の)、本物(の)	hontoo (no) hon-mono (no)
2361	わかる	分かる	wakaru
2362	ほんとうに	本当に	hontoo ni
2363	うしろ	後ろ	ushiro
2364	バックミラー		bakku-miraa
2365	ろんじる	論じる	ronjiru
2366	むりを いっては いけません。てごろな ねだんですね。 *Please be reasonable. That is a reasonable price.*	手ごろ	tegooro(na)
2367	こくみんは たかいぜいに はんたいしています。トムは ちちおやに はんこうしておかしかったとおもっています。 *People do rebel against high taxes. Tom thinks he was wrong to rebel against his father.*	反対する 反抗する	hantai suru hankoo suru
2368	おもいだせない	思い出せない	omoidasu
2369	もらう、うけとる	受け取る	morau uketoru
2370	さいきんかったばかり	最近	saikin
2371	レシピー		reshipii
2372	あんしょうする	暗唱する	anshoo suru
2373	レコード		rekoodo
2374	レコードプレーヤー		rekoodo pureeyaa

Bottom table (TERM# 2375–2397)

TERM #	HIRAGANA	KANJI	ROMAJI
2375	アシュレイのかぜは すぐ なおるでしょう。 そとに ちらかっていた ほんを もとにもどしま した。 Ashley may recover from her cold soon. I recovered all the books that were left outside.		naoru — modosu
2376	ちょうほうけい	長方形	choohookee
2377	あか	赤	aka
2378	あし、よし	葦、葮	ashi / yoshi
2379	さす	砂州	sasu
2380	いぶる		iburu
2381	リール、いとまき	糸巻き	riiru / itomaki
2382	レフェリー、しんぱんいん	審判員	referii / shimpan'in
2383	はんしゃする、うつる	反射する、映る	hansha suru / utsuru
2384	れいぞうこ	冷蔵庫	reezooko
2385	ことわる、きょひする	断る、拒否する	kotowaru / kyohi suru
2386	ちいき	地域	chiiki
2387	とうろくする	登録する	tooroku suru
2388	こうかいする	後悔する	kookai suru
2389	れんしゅうする	練習する	renshuu suru
2390	トナカイ		tonakai
2391	たづな	手綱	tazuna
2392	しんせき、しんるい	親戚、親類	shinseki / shinrui
2393	リラックスする、のんびりする		rirakkusu suru / nombiri suru
2394	はなす	放す	hanasu
2395	おぼえている、わすれない	覚えている、忘れない	oboete iru / wasurenai
2396	はなれじま	離れ島	hanarejima
2397	ほうしをとる	取る	toru

Top table (TERM# 2398–2412)

TERM #	HIRAGANA	KANJI	ROMAJI
2398	アパートをかりていま す。 くるまをかりて、しまを ぐるりとまわりました。 We rent an apartment. We rented a car and went around the island.	借りる	kariru
2399	なおす、しゅうぜんする	直す、修繕する	naosu — shuuzen suru
2400	くりかえす	繰り返す	kurikaesu
2401	とりかえる	取り替える	torikaeru
2402	こたえる	答える	kotaeru
2403	はちゅうるい	爬虫類	hachuurui
2404	たすけだす	助け出す	tasukedasu
2405	ちょすいち	貯水池	chosuichi
2406	だれの せきにんですか。 アシュレイは せきにん かんのある おんなのこ です。 Who is responsible for this? Ashley is a responsible girl.	責任 責任感	sekinin sekininkan
2407	やすむ	休む	yasumu
2408	レストラン		resutoran
2409	アシュレイは としょかん のほんを いつもかえしま す。 ジョンはすぐかえってく るでしょう。 Ashley always returns her library books. John will return soon.	返す 帰る	kaesu kaeru
2410	ぎゃく	逆	gyaku
2411	さい	犀	sai
2412	ルーバーブ、だいおう	大黄	ruubaabu dai'oo

TERM #	HIRAGANA	KANJI	ROMAJI
2413	えいごの しをかくときに んをふむことができます。 *When you write a poem in English, you can make it rhyme.*	韻	in
2414	ろっこつ、あばらぼね	肋骨、あばら骨	rokkotsu abarabone
2415	リボン		ribon
2416	ごはん	ご飯	gohan
2417	かねもちでもなく、びんぼうでもありません。 かねもちはびんぼうにんをいつもたすけなければならない。 *He is neither rich nor poor.* *The rich must always help the poor.*	金持ち	kanemochi koi
2418	なぞなぞ		nazonazo
2419	うまにのる	馬に乗る	noru
2420	やまのおね	山の尾根	one
2421	みぎて	右手	migite
2422	かどで みぎにまがってくだい。 アシュレイは いつもじぶんが ただしいと おもっている。 *Turn right at the next corner.* *Ashley thinks she is always right.*	右 正しい	migi tadashii
2423	みぎきき	右利きを	migi-kiki
2424	かわ	皮	kawa
2425	ゆびわ	指輪	yubiwa
2426	ベルをならす	ベルを鳴らす	narasu
2427	アイスホッケーのリンク		rinku
2428	ゆすぐ、すすぐ	濯ぐ、濯ぐ	yusugu susugu
2429	ぼうどう	暴動	boodoo

TERM #	HIRAGANA	KANJI	ROMAJI
2430	さく	裂く	saku
2431	じゅくしている	熟している	jukushite iru
2432	ちいさなみ、こなみ、さざなみ	小さな波、小波、さざ波	chiisai nami ko-nami sazanami
2433	たいようがのぼる	太陽が昇る	noboru
2434	きけんなことをするときは いつもきをつけたほうがいいです。 あしたしものおそれがあります。 *Always be careful when taking risks.* *There will be a risk of frost tomorrow.*	危険 恐れ	kiken osore
2435	ライバル		raibaru
2436	かわ	川	kawa
2437	みち	道	michi
2438	ほえる	吠える	hoeru
2439	ロースト		roosuto
2440	ごうとう、おいはぎ	強盗、追いはぎ	gootoo oihagi
2441	ロビン、こまどり		robin komadori
2442	いわ	岩	iwa
2443	ゆする	揺する	yusuru
2444	ロケット		roketto
2445	ゆりいす	揺りいす	yuri-isu
2446	さお、つりざお	竿、釣り竿	sao tsuri-zao
2447	ロール		rooru
2448	ころがる	転がる	korogaru
2449	ローラースケート		rooraa sukeeto
2450	めんぼう	めん棒	memboo
2451	やね	屋根	yane
2452	へや	部屋	heya
2453	とまりぎにとまる	止まり木…止まる	tomarigi ni tomaru
2454	ね	根	ne

TERM #	HIRAGANA	KANJI	ROMAJI
2455	なわ、ロープ	縄	nawa roopu
2456	ばら		bara
2457	ローズマリー		roozumarii
2458	ばらいろ(の)	ばら色(の)	barairo (no)
2459	くさったりんご		kusatta
2460	ざらざらする、あらっぽい	荒っぽい	zara zara suru arappoi
2461	まるい	丸い	marui
2462	ならんだボタン	並んだボタン	naranda
2463	こぐ		kogu
2464	おうしつ(の)	王室(の)	ooshitsu (no)
2465	ゴム		gomu
2466	がらくた		garakuta
2467	ルビー		rubii
2468	かじ	舵	kaji
2469	れいぎをしらない	礼儀を知らない	reegi o shiranai
2470	けわしいとち	けわしい土地	kewashii
2471	むかしのしろのあと、いせき	昔の城の跡、遺跡	shiro no ato iseki
2472	きそく	規則	kisoku
	アシュレイはいつもきそくをまもります。		
	このいえのきそくはりょうしんがつくります。		
	Ashley always obeys the rules.		
	The rules in this house are made by my parents.		
2473	しはいしゃ、とうちしゃ	支配者、統治者	shihaisha toochisha
2474	ガタゴトというおと	ガタゴトという音	gata goto to yuu oto
2475	はしる	走る	hashiru
2476	にげる	逃げる	nigeru
2477	ひく		hiku
2478	エネルギーがなくなる		nakunaru
2479	いそぐ	急ぐ	isogu
2480	さび		sabi
2481	わだち		wadachi
2482	ライむぎ	ライ麦	rai-mugi
2483	おおきなふくろ	大きな袋	ookina fukuro
2484	しんせい(な)	神聖(な)	shinsee (na)
2485	かなしい	悲しい	kanashii
2486	くら	鞍	kura
2487	あんぜん(な)	安全(な)	anzen (na)
2488	ほ	帆	ho
2489	ウィンドサーフィン		uindo-saafin
2490	セールボート、ほかけぶね	帆かけ船	seeru-booto hokakebune
2491	すいへい	水兵	suihee
2492	サラダ		sarada
2493	セール		seeru
2494	さけ、しゃけ	鮭	sake shake
2495	しお	塩	shio
2496	けいれいする	敬礼する	keeree suru
2497	おなじ	同じ	onaji
2498	すな	砂	suna
2499	サンダル		sandaru
2500	サンドイッチ		sandoitchi
2501	じゅえき	樹液	jueki
2502	いわし	鰯	iwashi
2503	えいせい	衛生	eesee
2504	サテンのドレス		saten
2505	どようびはあそぶひです。	土曜日	doyoobi
	アシュレイはどようびがだいすきです。		
	Saturday is play day.		
	Ashley likes Saturdays.		
2506	ソース		soosu
2507	ソーセージ		sooseeji
2508	おかねをためる	お金を貯める	tameru

TERM #	HIRAGANA	KANJI	ROMAJI
2509	のこぎり	鋸	nokogiri
2510	(のこぎりで)きる	(鋸で)切る	(nokogiri de) kiru
2511	おがくず	お鋸屑	ogakuzu
2512	おもったとおりにいう	思った通りに言う	yuu
2513	だい、やぐら	台	dai / yagura
2514	やけどする	火傷する	yakedo suru
2515	はかり	秤	hakari
2516	ほたてがい、かいばしら	帆立貝、貝柱	hotategai / kaibashira
2517	あたまのかわ	頭の皮	atama no kawa
2518	きず	傷	kizu
2519	おどかす	脅かす	odokasu
2520	かかし		kakashi
2521	スカーフ		sukaafu
2522	まっか	真っ赤	makka
2523	はんざいげんば	犯罪現場	hanzai gemba
2524	けしき	景色	keshiki
2525	がくもん、しょうがくきん	学問、奨学金	gakumon shoogakkin
2526	がっこう	学校	gakkoo
2527	スクーナー		sukuunaa
2528	はさみ	鋏	hasami
2529	スコップですくう		suku'u
2530	スクーター		sukuutaa
2531	こげたかみ	焦げた紙	kogeru
2532	とくてんする	得点する	tokuten suru
2533	ボーイスカウト		booi-sukauto
2534	かみきれ	紙切れ	kamikire
2535	すりむき		surimuki
2536	けずるどうぐ	削る道具	kezuru
2537	ひっかく	引っ掻く	hikkaku
2538	スクリーン、かなあみ、あみど	金網、網戸	sukuriin kanaami amido

TERM #	HIRAGANA	KANJI	ROMAJI
2539	ねじ	ねじ	neji
2540	ねじまわし	ねじ回し	nejimawashi
2541	ごしごしこする		kosuru
2542	ちょうこくか	彫刻家	chookokuka
2543	たつのおとしご	竜の落とし子	tatsu no otoshigo
2544	アドリアかい、うみ	アドリア海、海	umi -kai
2545	かもめ	鴎	kamome
2546	おっとせい		ottosee
2547	ぬいめ	縫い目	nui-me
2548	さがす	探す	sagasu
2549	サーチライト		saachi-raito
2550	よっつのきせつは、はる なつ あき ふゆです。 *The four seasons are: spring, summer, autumn and winter.*	季節	kisetsu
2551	ざせき	座席	zaseki
2552	ざせきベルト、シートベルト	座席ベルト	zaseki beruto / shiito beruto
2553	かいそう	海草	kaisoo
2554	ふたつめ、にばんめ	二つ目、二番目	futatsu-me / niban-me
2555	ひみつ	秘密	himitsu
2556	みる	見る	miru
2557	シーソー		shiisoo
2558	たね	種	tane
2559	しんだようにみえる	死んだように見える	yoo ni
2560	つかまえる	捕まえる	tsukamaeru
2561	わがまま、りこてき	我がまま、利己的	wagamama rikoteki
2562	うる	売る	uru
2563	はんえん	半円	han'en
2564	おくる	送る	okuru

TERM #	HIRAGANA	KANJI	ROMAJI
2565	びんかんな ひふ	敏感	binkan (na)
2566	ぶんしょうが つくれます	文章	bunshoo
	どろぼうは けいむしょ いきのはんけつを うけま した	判決	hanketsu
	Can you make a sentence? The robber received a prison sentence.		
2567	ほしょう	歩哨	hoshoo
2568	くがつ	九月	ku-gatsu
2569	きゅうじする	給仕する	kyuuji suru
2570	しち、なな、ななつ	七、七つ	shichi / nana / nanatsu
2571	ななつめ、ななばんめ	七つ目、七番目	nanatsu-me / nanaban-me
2572	いつつか むっつ、 いくつか	五つか六つ	itsutsu ka muttsu / ikutsuka
2573	ぬう	縫う	nuu
2574	ミシン		mishin
2575	みすぼらしい		misuborashii
2576	こや	小屋	koya
2577	かげ	影	kage
2578	けのふさふさした	毛のふさふさした	fusa fusa shita
2579	ふる	振る	furu
2580	あさい	浅い	asai
2581	シャンプー		shampuu
2582	わけあう	分け合う	wakeau
2583	さめ	鮫	same
2584	シャープなナイフ		shaapu (na)
2585	ナイフとぎ	ナイフ研ぎ	naifutogi
2586	スケートシャープナー		sukeeto shaapunaa
2587	えんぴつけずり	鉛筆削り	empitsu-kezuri
2588	こなごなにこわす	粉々に壊す	konagona ni kowasu
2589	ひげをそる	髭を剃る	hige o soru

TERM #	HIRAGANA	KANJI	ROMAJI
2590	うえきばさみ	植木鋏	ueki-basami
2591	かたなのさや	刀の鞘	saya
2592	ひつじ	羊	hitsuji
2593	シーツ		shiitsu
2594	たな	棚	tana
2595	かい、かいがら	貝、貝殻	kai / kaigara
2596	かくれば、ひなんじょ	隠れ場、避難所	kakureba / himanjo
2597	ひつじかい	羊飼い	hitsujikai
2598	たて	盾	tate
2599	むこうずね	向こう脛	mukoozune
2600	かがやく、てる	輝く、照る	kagayaku / teru
2601	いた、やねいた	板、屋根板	ita / yaneita
2602	シングルはびょうきの なまえ	シングルは病気の名前	shinguru
2603	ぴかぴかひかった	ぴかぴか光った	pika pika hikatta
2604	ふね	船	fune
2605	なんぱせん	難破船	nampasen
2606	シャツ		shatsu
2607	ふるえる	震える	furueru
2608	ショック		shokku
2609	くつ	靴	kutsu
2610	くつひも	靴紐	kutsu-himo
2611	くつや	靴屋	kutsuya
2612	うつ、うちおとす	打つ、打ち落とす	utsu / uchiotosu
2613	みせ	店	mise
2614	みせのしゅじん、 てんしゅ	店の主人、店主	mise no shujin / tenshu
2615	ショーウィンドー		shoo uindoo
2616	かいがん、きし	海岸、岸	kaigan / kishi
2617	せがひくい	背が低い	se ga hikui

TERM #	HIRAGANA	KANJI	ROMAJI
2618	ショートパンツ		shooto-pantsu
2619	かた	肩	kata
2620	どなる	怒鳴る	donaru
2621	おす、おしのける	押す、押し退ける	osu oshinokeru
2622	シャベル		shaberu
2623	みせる	見せる	miseru
2624	みせびらかす	見せびらかす	misebirakasu
2625	やっとあらわれた。	現れる	arawareru
2626	シャワー		shawaa
2627	さけぶ	叫ぶ	sakebu
2628	えび	海老	ebi
2629	ちぢむ	縮む	chijimu
2630	かんぼく	潅木	kamboku
2631	まぜる。(トランプをきる	交ぜる	mazeru (torampu o) kiru
2632	シャッター、あまど	雨戸	shattaa amado
2633	はずかしがり	恥かしがり	hazukashigari
2634	びょうき	病気	byooki
2635	わき、そくめん	脇、側面	waki sokumen
2636	ほどう	歩道	hodoo
2637	ためいきをつく	ため息をつく	tameiki o tsuku
2638	サイン		sain
2639	あいずする、しんごうをおくる	合図する、信号を送る	aizu suru shingoo o okuru
2640	サイン		sain
	しずかに！ アシュレイはしずかにしていられません。 Be silent. It is difficult for Ashley to be silent.	静かにする	shizuka ni suru
2642	まどのしきい	窓の敷居	shikii

TERM #	HIRAGANA	KANJI	ROMAJI
2643	ジョンは アンが ばかだ とおもっています。アンは ジョンが ばかな ことをすると おもいます。 John thinks Ann is silly. Ann thinks John does silly things.	馬鹿(な)	baka (na)
2644	ぎん	銀	gin
2645	かんたんなかいつほう が あるはずです。シンプルなデザインで いいですね。 There must be a simple solution. It is a simple design. I like it.	簡単(な)	kantan (na) shimpuru (na)
2646	うたう	歌う	utau
2647	「一」はたんすうで、「五」はふくすうです。 "One" is singular and "five" is plural.	単数	tansuu
2648	ながし	流し	nagashi
2649	しずむ	沈む	shizumu
2650	すする		susuru
2651	サイレン		sairen
2652	おんなのきょうだい、いもうと	妹	(onna no)kyoodai imooto
2653	すわる	座る	suwaru
2654	ろく、むっつ	六、六つ	roku muttsu
2655	ろくばんめ、むっつめ	六番目、六つ目	rokubam-me muttsu-me
2656	サイズ		saizu
2657	スケートする		sukeeto suru
2658	スケートボード		sukeeto-boodo
2659	がいこつ	骸骨	gaikotsu
2660	スケッチする		suketchi suru
2661	スキー		sukii
2662	スキーする		sukii suru

TERM #	HIRAGANA	KANJI	ROMAJI
2663	よこにそれる、よこすべりする	横にそれる、横すべりする	soreru yokosuberi suru
2664	ひふ、はだ	皮膚、肌	hifu hada
2665	スキップする、とびはねる	跳び跳ねる	sukippu suru tobihaneru
2666	せんちょう	船長	senchoo
2667	スカート	スカート	sukaato
2668	ずがいこつ	頭蓋骨	zugaikotsu
2669	そら	空	sora
2670	ひばり	雲雀	hibari
2671	まてんろう、こうそうビル	摩天楼、高層ビル	matenroo koosoo biru
2672	バタンとしめる	バタンと開める	batan to shimeru
2673	ななめ(の)、けいしゃした	斜め(の)、傾斜した	naname (no) keisha shita
2674	ぴしゃりとたたく、ぶつ	ひしゃりと叩く、打つ	pishari to tataku butsu
2675	ふかくきる、きりつける	深く切る、切りつける	fukaku kiru kiritsukeru
2676	スレート		sureeto
2677	そり		sori
2678	ねむる	眠る	nemuru
2679	スリーピング・バッグ		suriipingu-baggu
2680	ねむい	眠い	nemui
2681	みぞれ	霙	mizore
2682	そで	袖	sode
2683	すべりだい	すべり台	suberidai
2684	ほっそりした		hossori shita
2685	ぬるぬるした		nuru nuru shita
2686	つりほうたい	吊り包帯	tsuri-bootai
2687	パチンコ		pachinko
2688	すべる	滑る	suberu
2689	スリッパ		surippa
2690	つるつるした		tsuru tsuru shita
2691	ぶしょうもの、だらしのないひと	無精物	bushoo-mono darashi no nai hito

TERM #	HIRAGANA	KANJI	ROMAJI
2692	しゃめん、スロープ	斜面	shamen suroopu
2693	スロット、とうにゅうぐち	投入口	surotto toonyuu-guchi
2694	まえかがみになる	前かがみになる	maekagami ni naru
2695	スピードをおとす。 まがるところでくるまはスピードをおとします。「スピードをおとして、おとうさん、はやすぎるよ。」 The car slows down at the corner. "Slow down, Dad! You are going too fast."	スピードを落とす	spiido o otosu
2696	ゆきどけ、どろどろのゆき	雪解け、どろどろの雪	yuki-doke doro doro no yuki
2697	ちいさい	小さい	chiisai
2698	アシュレイはたぶんとてもあたまがいいとおもっています。 Ashley thinks she is very smart. That is a smart dress.	頭がいい	atama ga ii
	かっこいいドレスですね。	格好(の)いい	kakko ii
2699	こなごなにする	粉々にする	kona gona ni suru
2700	ぬる、なすりつける	塗る、擦りつける	nuru nasuritsukeru
2701	はなのにおいをかぐ	花の匂いをかぐ	nioi o kagu
2702	いやなにおいがする、あくしゅうをはなつ	嫌な匂いがする、悪臭を放つ	iya na nioi ga suru akushuu o hanatsu
2703	たばこをすう	たばこを吸う	tabako o suu
2704	こおりのひょうめんはなめらかです。 ひこうきはスムーズにちゃくりくしました。 The ice is smooth. The plane has made a smooth landing.	氷の表面はなめらかです。 飛行機はスムーズに着陸した。	nameraka (na) sumuuzu (na)
2705	おやつをたべる	おやつを食べる	oyatsu o taberu
2706	かたつむり	蝸	katatsumuri

TERM #	HIRAGANA	KANJI	ROMAJI
2707	へび	蛇	hebi
2708	ポキッと おる	ポキッと折る	pokitto oru
2709	うんどうぐつ、スニーカー	運動靴	undoo-gutsu / suniikaa
2710	くしゃみをする		kushami o suru
2711	スノーケル		sunookeru
2712	ゆき	雪	yuki
2713	ゆきのけっしょう	雪の結晶	yuki no kesshoo
2714	スノーシュー、かんじき		sunoo-shuu / kanjiki
2715	せっけん	石鹸	sekken
2716	サッカー		sakkaa
2717	ソックス		sokkusu
2718	ソケット		soketto
2719	ソファー		sofaa
2720	ソフト（な）、やわらかい	柔らかい	sofuto (na) / yawarakai
2721	へいたい	兵隊	heetai
2722	ひらめ	平目	hirame
2723	とく、かいけつする	解く、解決する	toku / kaiketsu suru
2724	ちゅうがえり	宙返り	chuugaeri
2725	むすこ	息子	musuko
2726	うた	歌	uta
2727	すぐくらくなります。アシュレイはすぐうちにかえってくるでしょう。		sugu / *Soon it will be dark. Ashley will be home soon.*
2728	まじゅつし	魔術師	majutsushi
2729	うでがいたい。	腕が痛い。	itai
2730	ソレル、かたばみ		soreru / katabami
2731	わるかったとおもう。	悪かったと思う。	warukatta to omou
2732	よりわける	より分ける	yoriwakeru

TERM #	HIRAGANA	KANJI	ROMAJI
2733	スープ		suupu
2734	すっぱい		suppai
2735	みなみ	南	minami
2736	（めす）ぶた	（雌）豚	(mesu)buta
2737	たねをまく	種を蒔く	tane o maku
2738	スペースシップ、うちゅうせん	宇宙船	supeesu shippu / uchuusen
2739	くわ		kuwa
2740	たたく	叩く	tataku
2741	よびのタイヤ	予備のタイヤ	yobi no taiya
2742	ひばな	火花	hibana
2743	ひかる、きらめく	光る	hikaru / kirameku
2744	すずめ	雀	suzume
2745	はなす	話す	hanasu
2746	やり	槍	yari
2747	スピードをだす、いそぐ	スピードを出す、急ぐ	supiido o dasu / isogu
2748	つづる	綴る	tsuzuru
2749	つかう	使う	tsukau
2750	きゅう	球	kyuu
2751	ぴりっとした、やくみのきいた	薬味の効いた	piritto shita / yakumi no kiita
2752	くも	蜘蛛	kumo
2753	スパイク		supaiku
2754	こぼす、こぼれる		kobosu / koboreru
2755	まわる	回る	mawaru
2756	ほうれんそう	ほうれん草	hoorensoo
2757	せぼね	背骨	sebone
2758	らせんじょう（の）	螺線状（の）	rasenjoo (no)
2759	とがった やね	とがった屋根	togatta yane
2760	つばをはく	つばを吐く	tsuba o haku
2761	はねかす		hanekasu
2762	きのはへん、こっぱ	木の破片	ki no hahen / koppa

TERM #	HIRAGANA	KANJI	ROMAJI
2763	くさった、いたんだ		kusatta itanda
2764	スポンジ		suponji
2765	いとまき	糸巻き	itomaki
2766	スプーン		supuun
2767	しみ、よごれ	染み、汚れ	shimi yogore
2768	くち	口	kuchi
2769	くじく		kujiku
2770	ふきかける	吹きかける	fukikakeru
2771	ぬる		nuru
2772	スプリング		supuringu
2773	はる	春	haru
2774	いずみ	泉	izumi
2775	ふりかける	振りかける	furikakeru
2776	(たんきょりを)ぜんそくりょくではしる	(短距離を)全速力で走る	zensokuryoku de hashiru
2777	もみ	桜	momi
2778	しかく	四角	shikaku
2779	かぼちゃ	南瓜	kabocha
2780	しゃがむ		shagamu
2781	だきしめる	抱きしめる	dakishimeru
2782	いか		ika
2783	りす		risu
2784	みずをふきつける	水を吹きつける	mizu o fukitsukeru
2785	うまや	馬屋	umaya
2786	ステージ、ぶたい	舞台	suteeji butai
2787	しみ		shimi
2788	かいだん	階段	kaidan
2789	くい	杭	kui

TERM #	HIRAGANA	KANJI	ROMAJI
2790	ふるい、ぼそぼそのパンより、やきたてのほうがおいしいです。 *Freshly baked bread is much better than old stale bread.*		pasa pasa (no pan)
2791	セロリのくき	茎	kuki
2792	たねうま	種馬	tane-uma
2793	きって	切手	kitte
2794	たつ	立つ	tatsu
2795	ほし	星	hoshi
2796	じっとみる	じっと見る	jitto miru
2797	むくどり	椋鳥	mukudori
2798	スタートする		sutaato suru
2799	アシュレイはいえにかえるといつも「おなかがすいた。」といいます。 *When Ashley comes home, she always says, "I'm starving."*		onaka ga suita
2800	ガソリンスタンド		gasorin sutando
2801	えき	駅	eki
2802	ぞう	像	zoo
2803	うごかないで、	動かないで、	ugokanai de
2804	ステーキ		suteeki
2805	ぬすむ	盗む	nusumu
2806	ゆげ	湯気	yuge
2807	はがね	鋼	hagane
2808	きゅう(な)、けわしい	急(な)、険しい	kyuu (na) kewashii
2809	(お)うし	(雄)牛	(o-)ushi
2810	かじをとる、そうじゅうする	舵をとる、操縦する	kaji o toru soojuu suru
2811	くき	茎	kuki
2812	だん	段	dan
2813	ふみこむ	踏み込む	fumikomu

TERM #	HIRAGANA	KANJI	ROMAJI
2814	そとにでる	外に出る	soto ni deru
2815	シチュー		shichuu
2816	こえだ、ぼうきれ	小枝、棒切れ	ko-eda / bookire
2817	べとべとした		beto beto shita
2818	このはブラシは かたすぎ ます。		katai; *This toothbrush is too stiff.*
	メリーおばさんは かたが こっています。		kotte iru; *Aunt Mary has a stiff shoulder.*
2819	さす	刺す	sasu
2820	さすこと、さしきず	刺すこと、刺し傷	sasu koto / sashi-kizu
2821	におう、あくしゅうをはなつ	臭う、悪臭を放つ	niou / akushuu o hanatsu
2822	かきまわす	かき回す	kakimawasu
2823	ストッキング		stokkingu
2824	ひをおこす、ねんりょうをくべる	火を起こす、燃料をくべる	hi o okosu / nenryoo o kuberu
2825	い	胃	i
2826	いし	石	ishi
2827	ふみだい、こしかけ	踏み台、腰掛け	fumidai / koshikake
2828	こしをまげる、かがむ	腰を曲げる、屈む	koshi o mageru / kagamu
2829	ストップ、ていし	停止	sutoppu / teishi
2830	きしゃをとめる	汽車を止める	tomeru
2831	よる	寄る	yoru
2832	みせ	店	mise
2833	こうのとり		koo-no-tori
2834	あらし	嵐	arashi
2835	はなし、ものがたり	話、物語	hanashi monogatari
2836	オーブン		oobun

TERM #	HIRAGANA	KANJI	ROMAJI
2837	まっすぐ		massugu
2838	こす		kosu
2839	ひっぱる	引っ張る	hipparu
2840	ふしぎ(な)	不思議(な)	fushigi (na)
2841	しめころす	絞め殺す	shimekorosu
2842	ひも	紐	himo
2843	ストロー		sutoroo
2844	いちご	苺	ichigo
2845	おがわ	小川	ogawa
2846	ふきながし	吹き流し	fukinagashi
2847	みち	道	michi
2848	がいとう	街燈	gaitoo
2849	のばす	伸ばす	nobasu
2850	たんか	担架	tanka
2851	ろうどうしゃが ちんぎん の ねあげのために スト をしています。	労働者が賃金の値上げのた めにストをしている。	suto; *The workers are on strike for more money.*
2852	たたく、ぶつ、うつ	叩く、打つ	tataku / butsu / utsu
2853	ひも	紐	himo
2854	しま	縞	shima
2855	つよい	強い	tsuyoi
2856	せいと、がくせい	生徒、学生	seeto / gakusee
2857	べんきょうする	勉強する	benkyoo suru
2858	ぬいぐるみのどうぶつ	縫いぐるみの動物	nuigurumi no doobutsu
2859	きりかぶ	切り株	kirikabu
2860	せんすいかん	潜水艦	sensuikan
2861	ひく	引く	hiku
2862	しゃぶる、すう	吸う	shaburu / suu

TERM #	HIRAGANA	KANJI	ROMAJI
2863	きゅうに あめが ふりはじめました。 / パメラが とつぜん がっこうを やめました。 / Suddenly, it began to rain. / Pamela left school suddenly.	急に / 突然	kyuu ni / totsuzen
2864	さとう	砂糖	satoo
2865	スーツ		suutsu
2866	スーツケース		suutsu-keesu
2867	なつ	夏	natsu
2868	たいよう	太陽	taiyoo
2869	にちようびには、おかあさんは ケーキを やきます。 / My mother bakes a cake on Sundays.	日曜日	nichiyoobi
2870	ひどけい	日時計	hi-dokee
2871	ひまわり	向日葵	himawari
2872	ひので	日の出	hinode
2873	にちぼつ	日没	nichibotsu
2874	スーパー		suupaa
2875	ゆうしょく、ゆうごはん	タご飯	yuushoku / yuugohan
2876	あしたは きっと はれる でしょう。 / そうすれば かならず かてます。 / I am sure tomorrow will be a sunny day. / That is a sure way to win.	必ず	kitto / kanarazu
2877	ひょうめん	表面	hyoomen
2878	げかい	外科医	gekai
2879	みょうじは ポターで、なまえは アシュレイです。 / My surname is Potter and my first name is Ashley.	名字	myooji
2880	びっくりパーティー		bikkuri paatii
2881	こうさんする	降参する	koosan suru
2882	とりかこむ	取り囲む	torikakomu
2883	ズボンつり、サスペンダー	ズボン吊り	zubon-tsuri / sasupendaa
2884	のみこむ	呑み込む	nomikomu
2885	はくちょう	白鳥	hakuchoo
2886	とりかえる	取り替える	torikaeru
2887	はちのいちぐん	蜂の一群	gun
2888	あせをかく	汗をかく	ase o kaku
2889	セーター		seetaa
2890	はく	掃く	haku
2891	あまい	甘い	amai
2892	それる、そらす	逸れる、逸らす	soreru / sorasu
2893	およぐ	泳ぐ	oyogu
2894	ブランコ		buranko
2895	ブランコに のる	ブランコに乗る	buranko ni noru
2896	スイッチ		suitchi
2897	でんきの スイッチを いれて ください。 / Switch on the light, please.	スイッチを入れる	suitchi o ireru
	よくみえるように、せきを とりかえましょうか。 / Shall we switch seats so that you can see better?	取り替える	torikaeru
2898	とびかかる、おそう	飛びかかる、襲う	tobikakaru / osou
2899	かたな	刀	katana
2900	すずかけ		suzukake
2901	シロップ		shiroppu
2902	テーブル		teeburu
2903	テーブルクロス		teeburu-kurosu
2904	じょうざい	錠剤	joozai
2905	びょう	鋲	byoo

TERM #	HIRAGANA	KANJI	ROMAJI
2906	アシュレイはそのもんだいとりくまなければなりません。フットボールのしあいでポールがヘクターをとっくみあいをしました。 *Ashley must tackle that problem.* *Paul tackled Hector during the football game.*	取り組む / 取っ組み合いをする	torikumu / tokkumiai o suru
2907	おたまじゃくし		otamajakushi
2908	しっぽ	尻尾	shippo
2909	ようふくや、したてや	洋服屋、仕立屋	yoofukuya shitateya
2910	もっていく	持っていく	motte iku
2911	とりはずす	取り外す	torihazusu
2912	もちさる	持ち去る	mohisaru
2913	もちかえる	持ち帰る	mochikaeru
2914	ぼうしをとる	帽子をとる	toru
2915	とびたつ	飛び立つ	tobitatsu
2916	とりだす	取り出す	toridasu
2917	もちかえり	持ち帰り	mochikaeri
2918	はなし	話	hanashi
2919	アシュレイとリサはタレントショーにでます。シルビアはおんがくのさいのうがあります。 *Ashley and Lisa are in the talent show.* *Sylvia has a great talent for music.*	才能	tarento / sainoo
2920	はなす、はなしあう	話す、話し合う	hanasu hanashiau
2921	せがたかい	背が高い	se ga takai
2922	タンバリン		tambarin
2923	なれた、おとなしい	馴れた	nareta otonashii
2924	ひやけ	日焼け	hiyake
2925	みかん		mikan

TERM #	HIRAGANA	KANJI	ROMAJI
2926	もつれる		motsureru
2927	タンク		tanku
2928	タンカー		tankaa
2929	すいどうのじゃぐち	水道の蛇口	jaguchi
2930	テープ		teepu
2931	テープではる	テープで貼る	teepu de haru
2932	テープレコーダー		teepu rekoodaa
2933	コールタール		kooru-taaru
2934	まと		mato
2935	タラゴン		taragon
2936	タルト		taruto
2937	しごと	仕事	shigoto
2938	あじわう	味わう	ajiwau
2939	このタートはとてもおいしいです。 *This tart is very tasty.*		oishii
2940	タクシー		takushii
2941	こうちゃ	紅茶	koocha
2942	おしえる	教える	oshieru
2943	せんせい、きょうし	先生、教師	sensee kyooshi
2944	チーム		chiimu
2945	ティーポット		tii-potto
2946	なみだ	涙	namida
2947	やぶく	破く	yabuku
2948	はぎをとる	刺ぎをとる	hagitoru
2949	でんぽう	電報	dempoo
2950	でんわ	電話	denwa
2951	でんわする	電話する	denwa suru
2952	ぼうえんきょう	望遠鏡	booenkyoo
2953	テレビ		terebi
2954	いう、つたえる	言う、伝える	yuu tsutaeru

Left Table

TERM #	HIRAGANA	KANJI	ROMAJI
2955	グローバーは おこりっぽ いです。	怒りっぽい	okorippoi
	アシュレイは きぶんのあ んていしたこです。	気分	kibun
	Grover has a bad temper. Ashley has an even temper.		
2956	おんど	温度	ondo
2957	とう、じゅう	十	too / juu
2958	テニス		tenisu
2959	テニスシューズ		tenisu-shuuzu
2960	テント		tento
2961	じゅうばんめ	十番目	juuban-me
2962	ターミナル、たんまつ	端末	taaminaru / tammatsu
2963	テストする		tesuto suru
2964	かんしゃする	感謝する	kansha suru
2965	こおりがとける	氷が溶ける	koori ga tokeru
2966	げきじょう	劇場	gekijoo
2967	そこ		soko
2968	おんどけい	温度計	ondokei
2969	ふとい	太い	futoi
2970	どろぼう	泥棒	doroboo
2971	もも、また	腿、股	momo / mata
2972	ゆびぬき	指貫き	yubinuki
2973	ほそい	細い	hosoi
2974	ひとは ものでは あり ません。	物	mono
	アシュレイは おかしな ことをよくいいます。	事	koto
	A person is not a thing. Ashley often says funny things.		
2975	かんがえる	考える	kangaeru
2976	みっつめ、さんばんめ	三つ目、三番目	mittsu-me / sanban-me

Right Table

TERM #	HIRAGANA	KANJI	ROMAJI
2977	のどが かわいている	喉がかわいている	nodo ga kawaite iru
2978	あざみ		azami
2979	とげ	刺	toge
2980	いと	糸	ito
2981	いとをとおす	糸を通す	ito o toosu
2982	みっつ、さん	三つ、三	mittsu / san
2983	しきい	敷居	shikii
2984	のど	喉	nodo
2985	クイーンのぎょくざ、おうざ	王座、王座	gyokuza / ooza
2986	なげる	投げる	nageru
2987	もどす、あげる、はく	戻す、上げる、吐く	modosu / ageru / haku
2988	おやゆび	親指	oyayubi
2989	かみなり	雷	kaminari
2990	らいう	雷雨	raiu
2991	もくようびに アシュレイ は すいえいのクラスに いきます。	木曜日にアシュレイは水泳 のクラスに行きます。	mokuyoobi
	Ashley goes to swimming class on Thursday.		
2992	タイム		taimu
2993	きっぷ	切符	kippu
2994	くすぐる		kusuguru
2995	きちんとしている		kichin to shite iru
2996	ネクタイ		nekutai
2997	むすぶ	結ぶ	musubu
2998	とら	虎	tora
2999	しめる	締める	shimeru
3000	タイル		tairu
3001	かたむく	傾く	katamuku
3002	じかんは なんじですか。	時間は 何時ですか。	jikan
3003	ちいさな、ちっちゃな	小さな、小っちゃな	chiisana / chitchana

TERM #	HIRAGANA	KANJI	ROMAJI
3004	ひっくりかえる	ひっくり返る	hikkuri-kaeru
3005	チップを あげる	チップを上げる	chippu
3006	つまさきで あるく	つま先で歩く	tsumasaki
3007	タイヤ		taiya
3008	つかれている	疲れている	tsukarete iru
3009	がまがえる	がま蛙	gamagaeru
3010	トースト		toosuto
3011	トースター		toosutaa
3012	がっこうは きょうから はじまります。きょうは ははのひです。*School starts today. Today is Mother's Day.*	今日	kyoo
3013	あしのゆび	足の指	ashi no yubi
3014	いっしょにすわっている		issho ni
3015	トイレ		toire
3016	トマト		tomato
3017	はか	墓	haka
3018	あしたは ちちのひです。アシュレイは あしたはくぶつかんに きょうりゅうをみにいきます。*Tomorrow is Father's Day. Ashley is going to see dinosaurs at the museum tomorrow.*	明日	ashita
3019	トング		tongu
3020	した	舌	shita
3021	トン		ton
3022	へんとうせん	へんとう腺	hentoosen
3023	どうぐ	道具	doogu
3024	は	歯	ha
3025	はがいたい	歯がいたい	ha ga itai
3026	はブラシ	歯ブラシ	haburashi
3027	はみがき	歯磨き	hamigaki

TERM #	HIRAGANA	KANJI	ROMAJI
3028	てっぺん、いちばんうえ	てっぺん、一番上	teppen / ichiban ue
3029	こま		koma
3030	ひっくりかえる	ひっくり返る	hikkurikaeru
3031	トーチ		toochi
3032	たつまき	竜巻	tatsumaki
3033	げきりゅう、きゅうりゅう	激流、急流	gekiryuu / kyuuryuu
3034	かめ	亀	kame
3035	なげる	投げる	nageru
3036	さわる	触る	sawaru
3037	タフ(な)、つよい、たくましい	強い、逞しい	tafu (na) / tsuyoi / takumashii
3038	ひっぱる	引っぱる	hipparu
3039	タオル		taoru
3040	とう	塔	too
3041	まち	町	machi
3042	おもちゃ	玩具	omocha
3043	なぞる		nazoru
3044	せんろ	線路	senro
3045	トラクター		torakutaa
3046	こうかんする	交換する	kookan suru
3047	こうつう	交通	kootsuu
3048	しんごう	信号	shingoo
3049	とおったあと	通った跡	tootta ato
3050	トレーラー		toreeraa
3051	きしゃ、れっしゃ	汽車、列車	kisha / ressha
3052	トレーニングする		toreeningu suru
3053	ふろうしゃ	浮浪者	furoosha
3054	ふみつける	踏みつける	fumitsukeru
3055	トランポリン		toramporin
3056	とうめい(な)、透きとおった	透明(な)、透きとおった	toomei (na) / sukitootta

TERM #	HIRAGANA	KANJI	ROMAJI
3057	はこぶ、うんぱんする	運ぶ、運搬する	hakobu / umpan suru
3058	うんぱんしゃ	運搬車	umpansha
3059	わな		wana
3060	トラピーズ		torapiizu
3061	りょこうする	旅行する	ryokoo suru
3062	おぼん	お盆	obon
3063	タイヤのやま	タイヤの山	taiya no yama
3064	たからもの	宝物	takaramono
3065	き	木	ki
3066	ふるえる	震える	furueru
3067	みぞ、ほり	溝、堀	mizo / hori
3068	さいばん	裁判	saiban
3069	さんかく	三角	sankaku
3070	トリック		torikku
3071	たらたら おちる		tara tara ochiru
3072	さんりんしゃ	三輪車	sanrinsha
3073	ひきがね	引き金	hikigane
3074	そろえる	揃える	soroeru
3075	みじかいりょこう	短い旅行	mijikai ryokoo
3076	つまずく		tsumazuku
3077	トロリーバス		tororii basu
3078	ゆっくり はしる	ゆっくり走る	yukkuri hashiru
3079	えをさいれるおけ	桶	oke
3080	ズボン		zubon
3081	ます	鱒	masu
3082	こて		kote
3083	トラック		torakku
3084	ほんとうですか、うそで すか。 それはほんとうのはなし です。 *Is it true or false?* *That is a true story.*	本当	hontoo

TERM #	HIRAGANA	KANJI	ROMAJI
3085	トランペット		torampetto
3086	トランク		toranku
3087	みき	幹	miki
3088	ぞうのはな	象の鼻	zoo no hana
3089	しんようする	信用する	shin'yoo suru
3090	しんじつ、 ほんとうのこと	真実、本当のこと	shinjitsu / hontoo no koto
3091	もういちど やってみるべ きです。 おくれないように しなさ い。 *You should try again.* *Try not to be late!*		yatte miru / -yoo ni suru
3092	たらい		tarai
3093	くだ、チューブ	管	kuda / chuubu
3094	かようびに アシュレイ は ピアノのレッスンが あります。 *On Tuesdays Ashley has piano lessons.*	火曜日	kayoobi
3095	ひっぱる	引っ張る	hipparu
3096	チューリップ		chuurippu
3097	ころぶ、ころがる	転ぶ、転がる	korobu / korogaru
3098	トンネル		ton'neru
3099	しちめんちょう	七面鳥	shichimenchoo
3100	ひだりに まわす	左に回す	mawasu
3101	けす	消す	kesu
3102	つける		tsukeru
3103	ジョンは いいせいねんに なりました。 きっとうまくいくでしょ う。 *John turned out to be a fine young man.* *I am sure things will turn out alright.*		

TERM #	HIRAGANA	KANJI	ROMAJI
3104	ひっくりかえす	ひっくり返す	hikkurikaesu
3105	かぶ	蕪	kabu
3106	ターンテーブル		taan-teeburu
3107	トルコいしのいろ、そらいろ	トルコ石の色、空色	toruko-ishi no iro / sora-iro
3108	ちいさなとう	小さな塔	chiisana too
3109	うみがめ	海亀	umi-game
3110	きば	牙	kiba
3111	けぬき	毛抜き	kenuki
3112	にど	二度	nido
	アシュレイはどうぶつえんにいったことがあります。トムはぼくのにばいもほんをもっています。 *Ashley has been to the zoo twice. Tom has twice as many books as me.*	二倍	nibai
3113	こえだ	小枝	koeda
3114	ふたご	双子	futago
3115	ほしがきらきらひかる	光る	hikaru
3116	くるくるまわす	回す	mawasu
3117	ねじる、よる	捻じる、燃る	nejiru / yoru
3118	ふたつ、に	二つ、二	futatsu / ni
3119	タイプする		taipu suru
3120	タイプライター		taipuraitaa
3121	みにくい	醜い	minikui
3122	かさ	傘	kasa
3123	おじさん トムおじさんはおかあさんのおにいさんなんです。もうひとりのおじさんはおとうさんのおとうとうとです。 *Uncle Tom is my mother's elder brother. My other uncle is my father's younger brother.*	伯父さん、叔父さん	ojisan

TERM #	HIRAGANA	KANJI	ROMAJI
3124	アシュレイはテーブルのしたにかくれています。	下	shita
	ごさいいかのこどもはいかれません。 *Ashley is hiding under the table. Children under 5 cannot go.*	以下	ika
3125	わかる、りかいする	分かる、理解する	wakaru / rikai suru
3126	したぎ	下着	shitagi
3127	ぬぐ	脱ぐ	nugu
3128	かなしい、ふこう（な）	悲しい、不幸（な）	kanashii / fukoo (na)
3129	ユニコーン		yunikoon
3130	ユニフォーム		yunifoomu
3131	だいがく	大学	daigaku
3132	にをおろす	荷を下ろす	ni o orosu
3133	かぎをはずす	鍵を外す	kagi o hazusu
3134	つつみをあける	包みを開ける	tsutsumi o akeru
3135	まっすぐ	真っ直ぐ	massugu
3136	さかさま	逆さま	sakasama
3137	つかう	使う	tsukau
3138	つかいきる	使いきる	tsukai-kiru
3139	やくにたつナイフ	役に立つナイフ	yaku ni tatsu
3140	きゅうか、やすみ	休暇、休み	kyuuka / yasumi
3141	じょうき	蒸気	jooki
3142	ニスをぬる	ニスを塗る	nisu o nuru
3143	かびん	花瓶	kabin
3144	こうしのにく	子牛の肉	ko-ushi no niku
3145	やさい	野菜	yasai
3146	のりもの	乗り物	norimono
3147	ビール		beeru
3148	けっかん	血管	kekkan

TERM #	HIRAGANA	KANJI	ROMAJI
3149	ベノムは どくへびのどく です。 / *Venom is the poison of a poisonous snake.*	毒	doku
3150	すいちょく(の)、たて(の)	垂直(の)、縦(の)	suichoku (no) / tate (no)
3151	スポットは とてもいい いぬです。アシュレイは カールが たいへん あたまがいいと おもいます。 / *Spot is a very nice dog. Ashley thinks Carl is very clever.*	大変	totemo / taihen
3152	ベスト、チョッキ		besuto / chokki
3153	じゅうい	獣医	juu'i
3154	ぎせいしゃ	ぎせい者	giseesha
3155	ビデオ、ビデオデッキ		bideo / bideo dekki
3156	ビデオテープ		bideo teepu
3157	やまのうえのけしきは すばらしかったです。ひとりひとり ものの みかたが ちがいます。 / *What a wonderful view from the top of the mountain! We each have our own point of view.*	景色 / 見方	keshiki / mikata
3158	むら	村	mura
3159	わるもの	悪者	warumono
3160	つる		tsuru
3161	す	酢	su
3162	すみれ		sumire
3163	バイオリン		baiorin
3164	ビザ、さしょう	査証	biza / sashoo

TERM #	HIRAGANA	KANJI	ROMAJI
3165	こんやは くもが おおくて ほしが ほとんど みえません。 / *There are many clouds tonight and the stars are barely visible.*	見える	mieru
3166	ほうもんする、たずねる	訪問する、訪ねる	hoomon suru / tazuneru
3167	バイザー		baizaa
3168	このじしょは ごいをふやすのに やくだちます。 / *This dictionary helps increase your vocabulary.*	語い	goi
3169	こえ	声	koe
3170	かざん	火山	kazan
3171	バレーボール		baree-booru
3172	ボランティア		borantiya
3173	はく、もどす	吐く、戻す	haku / modosu
3174	とうひょうする	投票する	toohyoo suru
3175	ゆうけんしゃ	有権者	yuukensha
3176	A,E,I,O,U は えいごの ぼいんです。 / *A,E,I,O,U are vowels in English.*	母音	bo-in
3177	こうかい	航海	kookai
3178	はげたか	禿鷹	hagetaka
3179	あさいみずのなかを あるく	浅い水の中を歩く	
3180	ワッフル		waffuru
3181	ワゴン		wagon
3182	なきさけぶ	泣き叫ぶ	naki-sakebu
3183	ウエスト		uesuto
3184	まつ	待つ	matsu
3185	おこす	起こす	okosu
3186	あるく	歩く	aruku
3187	かべ	壁	kabe
3188	さいふ	財布	saifu

TERM #	HIRAGANA	KANJI	ROMAJI
3189	くるみ	胡桃	kurumi
3190	せいうち		see'uchi
3191	まほうつかいのつえ	杖	tsue
3192	ほうろうする、さまよう	放浪する	hooroo suru / samayou
3193	ケーキがもっとほしい ひとは（だれですか）? おかあさんは アシュレイ に おさらあらいをてつだっ てもらいたいのです。 Who wants more cake? Mother wants Ashley to help wash the dishes.		hoshii / -te moraitai
3194	せんそう	戦争	sensoo
3195	いしょう	衣装	ishoo
3196	そうこ	倉庫	sooko
3197	あたたかい	暖かい	atatakai
3198	あたたまる	温まる	atatamaru
3199	ちゅういする	注意する	chuui suru
3200	うさぎのはんしょくち	兎の繁殖地	hanshoku-chi
3201	ぐんじん、ぶし	軍人、武士	gunjin / bushi
3202	いぼ		ibo
3203	あらう	洗う	arau
3204	せんたくき	洗濯機	sentakuki
3205	(お)てあらい、トイレ	(お)手洗い、トイレ	(o) tearai / toire
3206	すずめばち		suzume-bachi
3207	むだにする	無駄にする	muda ni suru
3208	とけい	時計	tokee
3209	じっとみる	じっと見る	jitto miru
3210	みず	水	mizu
3211	じょうろ	如露	jooro
3212	クレソン		kureson
3213	たき	滝	taki
3214	すいか	西瓜	suika

TERM #	HIRAGANA	KANJI	ROMAJI
3215	ぼうすい	防水	boosui
3216	すいじょうスキー	水上スキー	suijoo sukii
3217	なみ	波	nami
3218	てをふる	手を振る	te o furu
3219	ウェーブのある		ueebu no aru
3220	ろう		roo
3221	よわい	弱い	yowai
3222	ぶき	武器	buki
3223	きる	着る	kiru
3224	いたち		itachi
3225	てんき	天気	tenki
3226	おる	嫌る	oru
3227	みずかきあし	水かき足	mizukaki-ashi
3228	けっこんしき、こんれい	結婚式、婚礼	kekkonshiki / konrei
3229	くさび（がた のもの）	楔（型の物）	kusabi
3230	すいようびには アシュレ イは ごみをだします。 On Wednesdays, Ashley takes out the garbage.	水曜日	suiyoobi
3231	ざっそう	雑草	zassoo
3232	しゅう	週	shuu
3233	ベラおばさんが しゅうま つ あそびにきます。 ラジオでは、このしゅう まつ あめがふるといって います。 Aunt Vera will visit us this weekend. The weatherman says it will rain this weekend.	週末	shuumatsu
3234	なく	泣く	naku
3235	はかる	量る	hakaru
3236	ふしぎ（な）、きみょう（な）、へん（な）	不思議（な）、奇妙（な）、変（な）	fushigi (na) / kimyoo (na) / hen (na)
3237	むかえる、かんげいする	迎える、歓迎する	mukaeru / kangee suru

TERM #	HIRAGANA	KANJI	ROMAJI
3238	いど	井戸	ido
3239	げんき	元気	genki
3240	にし	西	nishi
3241	ぬれている	濡れている	nurete iru
3242	ぬらす	濡らす	nurasu
3243	くじら	鯨	kujira
3244	はとば	波止場	hatoba
3245	ねこを どうしたんです か? / あさごはんに なにを たべます か。 / *What did you do to your cat?* / *What are you going to have for breakfast?*	何	doo / nani
3246	むぎ	麦	mugi
3247	しゃりん	車輪	sharin
3248	いちりんしゃ	一輪車	ichirinsha
3249	くるまいす	車椅子	kuruma-isu
3250	いつベロおばさんは きますか。/ おたんじょうびは いつで すか。 / *When is Aunt Vera coming?* / *When is your birthday?*		itsu
3251	どこで うまれましたか。/ ねこが まいごになって どこにいるか わかりま せん。/ *Where were you born?* / *Our cat is lost and we have no idea where she is.*		doko
3252	どれ		dore
3253	めそめそする		meso meso suru
3254	むち	鞭	muchi
3255	よたか	夜鷹	yotaka
3256	あわたてき	泡立て器	awatateki

TERM #	HIRAGANA	KANJI	ROMAJI
3257	ほおひげ		ho'ohige
3258	ささやく		susayaku
3259	ふえ	笛	fue
3260	くちぶえをふく	口笛を吹く	kuchibue o fuku
3261	しろ	白	shiro
3262	だれが きますか。	誰が来ますか。	dare
3263	どうしてか? / どうして アシュレイは おぼえられないのです か。 / *I want to know why.* / *Why can Ashley not remember?*		dooshite
3264	ろうそくのしん	芯	shin
3265	わるい	悪い	warui
3266	はばが ひろい	幅が広い	hiroi
3267	(きみの)おくさん。/ (ぼくの)かない	奥さん、家内	okusan / kanai
3268	やせいのどうぶつ	野生の動物	yasee (no)
3269	やなぎ	柳	yanagi
3270	しおれる	萎れる	shioreru
3271	ずるい		zurui
3272	かつ、ゆうしょうする	勝つ、優勝する	katsu / yuushoo suru
3273	ちぢみあがる、すくむ	縮み上がる	chijimiagaru / sukumu
3274	かぜ	風	kaze
3275	まく	巻く	maku
3276	ウィンドブレーカー		uindo-bureekaa
3277	ふうしゃ	風車	fuusha
3278	まど	窓	mado
3279	フロントガラス		furonto-garasu
3280	ワイン、ぶどうしゅ	ぶどう酒	wain / budooshu
3281	はね、つばさ	羽、翼	hane / tsubasa

TERM #	HIRAGANA	KANJI	ROMAJI
3282	ウィンクする		winku suru
3283	ふゆ	冬	fuyu
3284	ふく	拭く	fuku
3285	でんせん	電線	densen
3286	かしこい	賢い	kashikoi
	おじいさんはかしこいろうじんです。 はやしのなかへひとりでいくのはかしこくありません。 Grandfather is a wise old man. It is not wise to go into the forest alone.		
3287	ねがい	願い	negai
3288	まほうつかい、まじょ	魔法使い、魔女	mahootsukai majo
3289	まほうつかい(おとこ)	魔法使い(男)	mahootsukai
3290	おおかみ	狼	ookami
3291	おんなのひと、じょせい	女の人、女性	onna no hito josei
3292	ふしぎがる	不思議がる	fushigi-garu
3293	すばらしい	素晴らしい	subarashii
3294	ざいもく	材木	zaimoku
3295	きつつき		kitsutsuki
3296	はやし、もり	林、森	
3297	もっこう	木工	mokkoo
3298	ウール	ウール	uuru
3299	ことば	言葉	kotoba
3300	しごと	仕事	shigoto
3301	はたらく	働く	hataraku
3302	うんどうする	運動する	undoo suru
3303	ワークショップ、しごとば	仕事場	waakushoppu shigotoba
3304	せかい	世界	sekai
3305	みみず		mimizu
3306	しんぱいする	心配する	shimpai suru
3307	けが、きず	怪我、傷	kega kizu

TERM #	HIRAGANA	KANJI	ROMAJI
3308	つつむ	包む	tsutsumu
3309	はなわ	花輪	hanawa
3310	こわれたもの、ざんがい	壊れたもの、残骸	kowareta mono zangai
3311	みそさざい		misosazai
3312	レスリングする		resuringu suru
3313	しぼる	絞る	shiboru
3314	てくび	手首	tekubi
3315	うでどけい	腕時計	udedokee
3316	かく	書く	kaku
3317	ひとをだましたり、うそをついたりするのはわるいことです。 このバスはまちがったほうにいっています。 It is wrong to cheat and to lie. Our bus is going the wrong way.	悪い 間違った	warui machigatta
3318	レントゲン		rentogen
3319	もっきん	木琴	mokkin
3320	ヨット		yotto
3321	にわ	庭	niwa
3322	あくびする		akubi suru
3323	とし	年	toshi
3324	さけぶ	叫ぶ	sakebu
3325	きいろ	黄色	kiiro
3326	こたえはイエスですか、ノーですか。 もしこたえが「はい」なら、てをあげてください。 Is it yes or no? If your answer is "yes", please raise your hand.		iesu hai
3327	きのう	昨日	kinoo
	アイスクリームをたべすぎてきのうアシュレイはびょうきになりました。 Yesterday Ashley was sick from eating too much ice cream.		

TERM #	HIRAGANA	KANJI	ROMAJI
3328	ゆずる	譲る	yuzuru
3329	たまごのきみ	卵の黄身	kimi
3330	わかい	若い	wakai
3331	しまうま	縞馬	shima-uma
3332	ゼロ、れい		zero rei
3333	ジッパー		jippaa
3334	どうぶつえん	動物園	doobutsuen
3335	（きゅうに）じょうしょうする	（急に）上昇する	jooshoo suru
3336	ズッキーニ		zukkiini